JN085837

文学のトリセツ

新装版

「桃太郎」で文学がわかる！

THE JAPANESE LITERATURE MANUAL

Masahiro Kobayashi

五月書房

はじめに

上海社会科学院 准教授・上海市日本学会 理事　郭 潔敏

文学とは何でしょうか？

文学について知りたいと思っている人は少なくありません。その中には、小説を読むことが好きな人や、これから大学の文学部で勉強しようと考えている学生もいるでしょう。

しかしながら、文学は他の学問と比べて、なかなかイメージするのが難しい学問です。例えば、大学の医学部と聞けば、人体の構造や病気について学ぶ場所だと誰もが思うことでしょう。また、法学部と聞けば、法律を学ぶ学問であることは容易に想像がつきます。しかしながら、文学部とは、いったい何の勉強をするところでしょうか？　小説を読む勉強、作文を書く勉強、もしくは作家になるための訓練をする場所でしょうか？　こう考えると、文学とはつかみどころのない、なぞめいた学問のように感じることでしょう。

もちろん、ちまたには文学の入門書と呼ばれる本がたくさん本屋に置かれてあります。しかし、そうした本を手にとり、目を通してみると、「バルトによる言語構造の分析」がどうとか「マルクスによる階級闘争」がどうしたとか、一向にいつまでたっても文学の本質をつかむことができません。実際、文学に関する入門書は、そのほとんどが堅苦しく、難解な文章なので、若い人にとっては読みづらい印象を受けることでしょう。

この本は、そうした「文学について興味があるけど、何から読めばいいのかわからない」と思っている人に向けて書かれた、やさしい文学の入門書です。たいへんシンプルな文章で書かれているため、文学についてよく知らない方でもすらすらと読めるようになっています。「文学」とはどんな学問なのか、どのような価値があるのか、どのように勉強するのか、といったみなさんが疑問に思う様々な点について、わかりやすく解説している最適な入門書と言えるでしょう。また、これから文学を学ぼうとしている、もしくは今現在学んでいる高校生や大学生にとっても有益な参考書となるはずです。

この本を読むことで、みなさんはきっと、文学の奥深さと面白さに引き込まれるはずです。ぜひ、本書を通して文学の世界に足を踏み入れてください。

新装版 文学のトリセツ 「桃太郎」で文学がわかる！

目次

装幀……今東淳雄
編集・組版……片岡　力

第1章
文学って何？

文学の基準？

そもそも文学とは何でしょうか。まずは国語辞典を引いてみましょう。手元にある**『大辞泉』**で「文学」の項を調べてみますと、「思想や感情を、言語で表現した芸術作品[*1]」とありました。ここで気になるのは、「芸術作品」というフレーズです。いったい「芸術」と呼ばれる作品とは、どのようなものでしょうか？　さっそく**『ブリタニカ国際大百科事典』**で「芸術」の項を探してみます。ここでは、「他人と分かち合えるような美的な物体、環境経験をつくりだす人間の創造活動[*2]」という説明が出てきました。文学作品を芸術としてどう評価するのかについては、後ほど第3章で取り扱いますが、さしあたり以上の記述から分かるのは、文学は3つの条件を満たしていなければならないという点です。まず第1に、その作品は「自分の思いや感情に関すること」であり、第2にそれは「コトバで言い表された」もので、そして第3に「創造的な活動」、つまりそれまでになかった新しい作品であるということです。

しかしながら、この説明を読んですんなりと納得した人はいないのではないでしょうか？　実際、この3つの条件を満たしている作品が文学と呼べるのであれば、小学生の読書感想文や絵日記さえも立派な文学と言えるかもしれません。しかし、こうした作品を文学と考えている人は恐らく誰もいないでしょう。どうやら、私たちは文学作品を、フツーの文章とはちょっと違ったものと考えているようです。

ライトノベルは文学ではない？

文学＝フィクション？

それでは、別の視点から文学とは何かについて考えてみることにしましょう。「文学とは架空のストーリー、つまり小説を扱う学問である」、これはどうでしょうか。確かに、学校の授業で教わる文学作品は、たいていが**夏目漱石**や**宮沢賢治**などが書いたフィクションです。しかし、たとえフィクションでなくても、高い文学性を持つと言われている作品も少なくありません。実際、**兼好法師**が記した**『徒然草』**や**鴨長明**がつづった**『方丈記』**、そして**福沢諭吉**の**『学問のすすめ』**などはフィクションではありませんが、日本文学の金字塔として、まばゆい名を残しています。それに、架空のストーリーがすべて文学であるとすれば、今流行（はや）りのいわゆるライトノベルなども文学として数えられるべきではないでしょうか。例えば、2013年に出版された**大森藤ノ**[*3]の**『ダンジョンに出会いを求めるのは間違っているだろうか』**（略してダンまち）は、累計数百万部を突破したベストセラーです。しかしながら、評論家の中でこの作品を批評の対象として取り上げている人は一人もいません。一方、『ダ

＊1　『大辞泉』小学館、1998年、「文学」の項。

＊2　『ブリタニカ国際大百科事典』TBSブリタニカ、1991年、「芸術」の項。

＊3　大森藤ノ　小説家（生年未詳）。小説サイト「Arcadia」に投稿した『ダンジョンに出会いを求めるのは間違っているだろうか』がGA文庫大賞を受賞。

大森藤ノ
『ダンジョンに出会いを求めるのは間違っているだろうか』

ンまち』と同じ年に発表された、**村上春樹**[*4]の**『色彩を持たない多崎つくると、彼の巡礼の年』**は、出版直後から多くの評論家による批評が行われました。こうして見ると、どうやら「文学＝フィクション」と単純に見なすことはできないようです。

「文学＝フィクション」と単純に見なすことはできない

文学作品は内容が道徳的で高尚？

文学＝道徳教育の道具？

ならば、「文学と呼ばれる作品は、それを読むことによって、人格に良い影響を及ぼす作用を持っている」という考えはどうでしょうか？　つまり、文学と呼ばれる作品は、内容が道徳的で高尚であるはずだという考え方です。こうした考えは真新しいものではありません。実際、思想家の**フリードリヒ・フォン・シラー**[*5]は、すでに１７９５年の時点で芸術を通した道徳教育の重要性を**『人間の美的教育について』**[*6]において唱えていました。この点を考えると、たしかに、優れた文学作品には、読者の精神的成長を促すようなものが少なくありません。私たちは**『ごんぎつね』**[*7]から罪を償（つぐな）うことの大切さについて学びますし、**『モチモチの木』**[*8]からは真の勇気とは何かについて、**『スイミー』**[*9]からは一致団結の精神の大切さについて理解することができます。

しかしながら、文学と呼ばれる作品の中には、一方できわめて退廃的かつ不道徳な内容を含む作品が多いのも事実です。フランスの**マルキ・ド・サド**[*10]、日本の**太宰治**や**檀一雄**[*11]の

村上春樹
『色彩を持たない多崎つくると、彼の巡礼の年』

作品は、とても道徳的とは言えません。サドの小説には残酷な描写が頻繁に出てきますし、檀一雄の小説**『火宅の人』**[*12]は不倫小説として多くの人々に衝撃を与えました。こうした一見眉をひそめるような内容であるにもかかわらず、これらの作品は現代の批評家たちから立派な文学として認められています。作品の内容だけでは、文学と非文学の線引きをすることは難しいようです。

内容だけでは文学と非文学の線引きは難しい

文学＝美しい文章？

文学は形式美？

それでは、「文学的な作品とは、独特なテクニックと美しいコトバを使っている作品だ」という考えはどうでしょうか？　内容ではなく形式が重要だというわけです。この主張も決して目新しいものではありません。歴史をふりかえると、すでに1750年には思想家の**アレクサンダー・ゴットリープ・バウムガルテン**[*13]が**『美学』**[*14]において、芸術は美なるもののために存在するという考えを述べています。もしこの主張が正しいのであれば、私たちが書く

＊4　村上春樹　小説家（1949～）。作品は一見都会的でおしゃれであるが、言語への懐疑、都市生活の空虚さへの疑いが見え隠れし、その明るい虚無感が若者たちの共感を呼んでいる。

＊5　フリードリヒ・フォン・シラー　ドイツの詩人、思想家（1759～1805）。カントの哲学に裏打ちされた理想主義の精神をテーマに、数々の歴史劇を描いた。主著『群盗』『たくらみと恋』『ドン・カルロス』。

＊6　『人間の美的教育について』　F. v. シラー、小栗孝則訳、法政大学出版局、2011年。原著は *Über die ästhetische Erziehung des Menschen,* 1795.

＊7　『ごんぎつね』　初出は新美南吉「ごん狐」（『赤い鳥』1932年1月号所収）、のち童話集『花のき村と盗人たち』（帝国教育会出版部、1943年）に採録。

＊8　『モチモチの木』　斎藤隆介作・滝平二郎絵、岩崎書店、1971年。

＊9　『スイミー』　レオ・レオニ、谷川俊太郎訳、好学社、1969年。

＊10　マルキ・ド・サド　フランスの小説家（1740～1814）。その作品に倒錯性

コトバの「美しさ」

日記やブログに文学的な価値がないのもうなずけます。「今日は花火を見に行きました。花火がとてもきれいだったので、また見たいと思いました」という日記の文章は、内容はともかく、コトバが無味乾燥で「美しさ」がありません。一方、私たちがよく知っている著名な文学作品のセリフには、読者がシビれるような響きがあるかもしれません。例えば**三島由紀夫**[*15]の**『金閣寺』**[*16]の一節を見てみましょう。

> 威厳にみちた、憂鬱な繊細な建築。剝げた金箔をそこかしこに残した豪奢の亡骸のような建築。近いと思えば遠く、親しくもあり隔たってもいる不可解な距離に、いつも澄明に浮かんでいるあの金閣が現れたのである。[*17]

三島由紀夫『金閣寺』

多くの人は、この一節に含まれている音の響き、肌ざわり、鋭敏さに惹かれます。この文章のレトリック（コトバの技術）が持つ、ある種の芸術性、文学性を感じるといっても良いかもしれません。実際、このようなフレーズは私たちが普段使わないものであり、斬新さに満ちていると同時に神秘的です。いわば、読者は作品の中に散りばめられた、見慣れないコトバと出会い、コトバの鋭さを知り、スゴイと感じるのです。こう考えれば、こうした技巧を凝（こ）らした「独特でカッコいい」コトバで書かれた作品こそ、本当の文学であると見なすことができそうです。

しかしながら、実はこうしたカッコいい文章を用いている作家自身が、「カッコいいコト

谷崎潤一郎「文章に実用的と芸術的との区別はない」

バ」と「フツーのコトバ」とを区別することに反対していたという事実があります。例えば、美文家として知られる作家**谷崎潤一郎**[18]は、**『文章読本』**[19]の中で以下のようなコメントを残しています。

> 私は、文章に実用的と芸術的との区別はないと思います。文章の要は何かと云えば、自分の心の中にあること、自分の云いたいと思うことを、出来るだけその通りに、かつ明瞭に伝えることにある……つまり、余計な飾り気を除いて実際に必要なコトバだけで書く、と言うことであります。そうしてみれば、最も実用的なものが最もすぐれた文章であります。[20]

谷崎潤一郎『陰翳礼讃・文章読本』

実際のところ、かっこいいコトバと普段使っているフツーのコトバとを線引きすることにはいくつもの問題があります。第一に、フツーのコトバというカテゴリーは誰が決める

欲を描いたため、猥褻と不道徳を理由にあらゆる検閲を受けたが、20世紀に入ってから高く評価されるに至った。

＊11　檀一雄　小説家（1912〜76）。『新説石川五右衛門』で直木賞を受賞。他に『ペンギン記』などがある。

＊12　『火宅の人』　檀一雄、新潮社、1971年。

＊13　アレクサンダー・ゴットリープ・バウムガルテン　ドイツの思想家（1714〜62）。感性的認識についての学問を「美学」と定義し、カントに大きな影響を与えた。主著に『形而上学』『美学』。

＊14　『美学』　A. G. バウムガルテン、松尾大訳、講談社、2016年。原著は *Aesthetica,* 1750/58.

＊15　三島由紀夫　小説家（1925〜70）。透徹した方法論の下に綿密な世界を築いたが、その作風は唯美主義から古典的均整を求める方向に移行し、『金閣寺』で1つの頂点に達した。

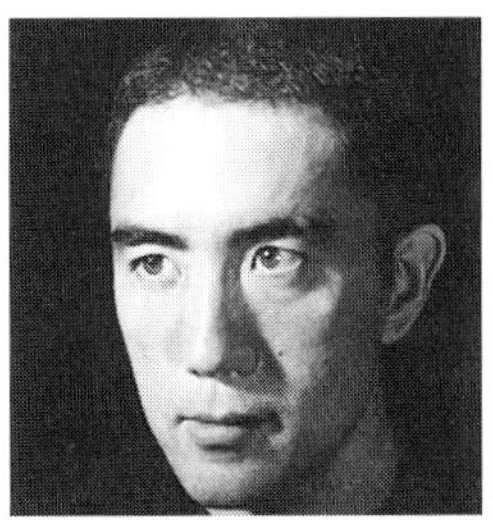

＊16　『金閣寺』　三島由紀夫、新潮社、2003年。初出は1956年。

＊17　同書、223ページ。

＊18　谷崎潤一郎　小説家（1886〜1965）。『刺青』が永井荷風に激賞され、耽美派作家としてデビュー。古典的な日本文化に傾倒し、独自の

のでしょうか？　例えば、「こげしょんびきとでこづけもらって、もっけだのー」[21]というフレーズは、東京では明らかにフツーのコトバではありませんが、山形県の庄内地方ではよく使われるフツーのコトバです。一方、「夜のパレードが風キャンだって。まじテンサゲなんですけどー」[22]は、現代の若い世代にとってはフツーのコトバでも、大人にとっては特殊なコトバでしょう。このように、フツーのコトバという定義は、住んでいる地域や世代によって違います。極端に言えば、今書いているこの本の文章でさえ、数百年後の日本人にとっては、まったく古めかしい、イビツな文章として映るかもしれません。

また、著名な文学作品の中にも、実は私たちが普段使っているフツーのコトバが数多く登場します。例えば、「どこかへ、ぶらっと旅に出たいんだ」というフレーズ、これは文学的でしょうか、それとも非文学的でしょうか。明らかに私たちが使っている日常会話と変わらないレベルですが、これもれっきとした文学的なコトバと言えなくはないのです。というのも、このフレーズもやはり、同じ『金閣寺』の一節から取られているからです。

さらに、どんなフツーのコトバでも、相手がどう解釈するかによって意味が変わってしまうという問題も見過ごせません。例えば、デパートのトイレに「足下にご注意下さい」という注意書きがあったとしましょう。これは普通、「清掃したばかりで足が滑りやすいので、注意して下さい」という意味で読むことができます。しかし、これを文学な比喩表現として読むことだって、不可能ではないのです。例えば、「足下」を人生における比喩的な「足下」と捉えることも可能かもしれません。「人は誰しも弱みを持っている。そうした弱点を敵に知られて自分の足下をすくわれないように気をつけなさい」と、デパートの看板は私たちに

トイレの貼り紙から人生の教訓を見出した須藤元気

「文学的な美しいコトバ」という概念は相対的であいまい

こう訴えかけているようにも読み取れます。実際、男子トイレでよく見かける「一歩前へ」の注意書きについて考えてみて下さい。格闘家として有名だった**須藤元気**さんは、何気ないこのトイレの貼り紙から人生の教訓を見出し、レスリング界から引退する決断をしたそうです。ここから分かるのは、私たちはいかなる文章からも、何らかの比喩的な意味合いを汲み取ることができるということです。文学作品を読む過程で私たちが行う作業も、これと同じではないでしょうか。太宰治の**『走れメロス』**の一節「走れ！メロス」と書かれた箇所を読むとき、私たちはそれをありのままに受け取っているわけではありません。「走れ！」というコトバの裏に込められた、約束を守ろうとする主人公の熱い正義感を読み取っているのです。これらの点を考慮すると、「文学的な美しいコトバ」という概念は実に相対的で、あいまいなものであることが分かります。

実際、著名な批評家である**テリー・イーグルトン**[*23]という人がすでに約40年前に次のように指摘しています。彼は、**『文学とは何か』**[*24]において、文学が決して内容や形式では定義できないということを強調しつつ、自ら「破壊的」と呼ぶ結論を述べます。すなわち、どんなも

世界を開いた。主著に小説『細雪』や随筆『陰翳礼讃』など。

＊19 『文章読本』 谷崎潤一郎『陰翳礼讃・文章読本』新潮社、2016年、所収。単行本初版は1934年。

＊20 同書、129〜130ページ。

＊21 「こんなに塩ジャケと大根漬けをもらって申し訳ない」という意味。

＊22 「夜のパレードが風によりキャンセルになって、がっかりした」という意味。

＊23 テリー・イーグルトン イギリスの批評家（1943〜）。独自のイデオロギー論、ポスト・モダン批判に定評がある。『文学とは何か』は文学理論の啓蒙書としてベストセラーとなった。

＊24 『文学とは何か』 上・下巻 T. イーグルトン、大橋洋一訳、岩波書店、2014年。原著初版は *Literary Theory: An Introduction,* 1983.

イーグルトン「それが一般に評価されている著述のタイプに属してさえいれば、人びとはそれを文学と呼ぶ」

作品が「文学」であるかどうかは、権力者にとって「文学」であるかに依存している

のでも文学になりうるし、また永遠に疑問の余地なく文学とみなされてきたものが、文学ではなくなるということもありうると。[*25] それでは、ある作品が文学であるか否かの線引きはどう決められるのでしょうか？　この点に関して、イーグルトンは、「それが一般に評価されている著述のタイプに属してさえいれば、人びとはそれを文学と呼ぶ」[*26]とも述べています。ある作品が文学と呼ばれているのは、今この時代に権威と名声を有する人々が、そう決めたからにすぎません。つまり、身も蓋（ふた）もない言い方をすれば、村上春樹の作品が文学であるのは、ただ単に今の世論に強い影響力を持っているマスコミ、評論家、そして大学教授たちがそれに「文学」という太鼓判を押しているからということになります。逆に、人気作家の**有川浩**（ひろ）[*27]の作品が一向に直木賞を取れないのは、作品のクオリティーや形式が問題というよりも、「評論家たちが彼女の作品を文学として認めていないから」にすぎません。実際、『文学とは何か』では、ある大学の教授が文学部の大学生たちに、題名と作者名を伏せた文学作品をいくつか渡して、どの作品のクオリティーが高いのか評価させた実験について言及しています。この実験では、大学生たちが無名の作家の手による作品に高い評価を与える一方、有名作家の作品には低い評価をつけたと言われています。つまるところ、ある作品が「文学」であるかどうかは、その作品が権力者にとって「文学」であるか否かに大きく依存していると言えるでしょう。

T. イーグルトン
『文学とは何か』

文学と権力

そもそも、大学で文学部という研究機関が出来た背景にも、当時の権力者の強い意向があったと言われています。文学部を初めて創設したのは、19世紀末のイギリスです。この時代に文学部が成立した背景には、大きく分けて2つの理由がありました。1つは、それまで政府に従順だった労働者階級が反抗的になったことです。もともと、労働者の不満を押さえる社会的役割を果たしていたのは教会でした。というのも、教会の司祭は民衆に、イギリスの国王は神によって選ばれた存在であり、国王に従わなければ地獄に落ちると説いていたのです。しかし、19世紀に入ると生物学者**チャールズ・ダーウィン**が「進化論」を唱え、教会の教えに反する理論をあっという間に広めてしまいました。さらに、「神は存在しない」と主張するマルクス主義思想もヨーロッパで盛んになります。こうした思想的な変化によって、多くの労働者が教会に対する信仰心を失い始めていました。これに危機感を覚えたのが、当時のイギリスの支配階級です。彼らは、教会に代わって新たに道徳（＝政府への従順）を民衆

「宗教に代わるもの」としての文学

＊25　同書、上巻、48ページ。

＊26　同書、上巻、同ページ。

＊27　**有川浩**　のち「有川ひろ」に改名。小説家（1972～）。『塩の街』で電撃ゲーム小説大賞を受賞し、デビューを果たす。『図書館戦争』シリーズや、直木賞候補にもなった『空飛ぶ広報室』が主な代表作。

植民地支配を正当化するための道具としての文学

今の「文学」は100年後には文学と見なされない？

に教えることができる道具を考えなければなりませんでした。そこで白羽の矢が立ったのが、文学だったのです。[*28]

2つ目に、植民地における不満が高まっていたという背景があります。当時、イギリスはアフリカやアジアに広大な植民地を有していました。イギリスは、こうした植民地で得られる鉱物や嗜好品などの資源を独占したり、被植民地者（植民地に昔から住んでいる人々）を安い賃金で働かせたりすることで、莫大な富を築いていたのです。しかし、支配されている側である被植民地者の方は、当然ながら大きな不満を抱いていました。イギリスは、何とかして自分たちの支配を正当化しなければなりません。イギリスの文明が現地の文明よりも優れており、イギリス人は他の人種よりも優秀であることを証明する必要があったのです。この点で、文学はこうした不満を持つ被植民地者を教育し、植民地支配を正当化するためのうってつけな道具でした。実際、文学作品は、人々の感情に訴える仕方で彼らに道徳（＝イギリス人への従順）を植えつけることができます。また、植民地においてはイギリス文化の卓越性を広く宣伝する媒体として、さらには教養のない被植民地者を「イギリス化」させるために、文学は実に効果的に機能しました。かくして、権力者による、文学部設置が次々と行われることになったのです。

ここから敷衍（ふえん）して（おし拡げて）言えることは、たとえある作品が、今は「文学」と呼ばれているとしても、100年後には文学とみなされないことさえあり得るという可能性です。逆に、今は文学として認められていないライトノベルの作品が、100年後には高校で教材として扱われることもあり得るかもしれません。イーグルトンは言います、我々の価値判断はあまりに変化しやすいと。実際、私たちの世界は、目まぐるしい変化の渦に飲み込まれています。１００年前までは否定的に見られていた、結婚前のセックス、同性愛、オタク文化などが、今では一般的なことと見なされています。今の時代、誰も童貞や処女を守るべきものとは考えません。テレビでは同性愛者のタレントが毎日登場しています。以前は社会から無視されていたコミックマーケットがニュースで報道されることも多くなりました。そうした変化に伴って、文学と呼ばれる作品も絶えず入れ替わっていくことは避けられないのです。文学とは、こうした社会の変化によって形を変えていく、幻想のようなものなのかもしれません。

＊28　ピーター・バリー『文学理論講義』高橋和久訳、ミネルヴァ書房、2014年、13ページ。

第2章

なぜ今、文学を学ぶ必要があるのか？

こんなにも重要視されている文学

文学研究に使われている税金

ここまで、私たちは文学と呼ばれるものの定義や評価がいかに変わりやすく、危ういものであるかを学びました。このように考えると、こんなにも不確かであやふやな存在である「文学」を学ぶことに意味はないように思えるかもしれません。しかし不思議なことに、政府は大学における文学研究のために、毎年莫大な税金をつぎ込んでいます。事実、**『逆引き大学辞典2018年版』**によれば、文学系統の学部を有している大学は、なんと351校にものぼります。[*1] さらに、一般運営費交付金や経常費補助として政府から大学に付与される補助金が毎年約2兆円ですから、そのうちのいくらかは確実に文学研究の費用として費されていることになります。これは税金の無駄遣いではないかと思われるかもしれません。いったいなぜ政府は、大学生に文学を学ばせるために多額のお金を使っているのでしょうか?

批判的思考力

文学は私たちの批判的思考力を高める

ここでまたしてもイーグルトンに登場してもらいましょう。彼は、文学を研究することが私たちの**批判的思考力（クリティカル・シンキング）**をのばすことにつながると述べています。批判的思考力とは何でしょうか？　それは、与えられた情報を鵜呑みにせず、問題を多角的な方面から分析し、様々な仮説を立てて最適な問題解決を導き出すことのできる能力のことです。批判的思考力を持つ人は、的確に問題の本質を見抜き、自分が持つ偏見を排除し、よ

＊1 『逆引き大学辞典2018年版』広告社、2017年、6ページ。

り良い答えを筋道立てて見出すことができます。

例えば、あなたがスマホのニュースサイトから、ある食品製造会社に関する食品偽造疑惑のニュースを読んだとしましょう。一見すると、もっともらしく思えます。あなたはもうその会社からは食品を買わないことにするかもしれません。もしくはニュースを自分のブログに掲載して、友人にこの会社からは買わないよう知らせるかもしれません。しかし、批判的思考力の持ち主は、まずそのニュースの真偽と質を疑います。「このニュースの提供元は誰だろうか？　信頼できる発信源だろうか？　このサイトはどんな団体が運営しているのだろうか？　そもそも何のためにこのサイトはこのニュースを流すのだろうか？　このサイトはどんな報道をしているだろうか？　感情的で攻撃的だろうか、それとも理性的で客観的だろうか？　このニュースの内容は他の報道と一致しているだろうか？　このニュースは事件の全貌を伝えているだろうか、それとも事件の一部分だけ伝えているだろうか？」など、様々な問いを自分自身に投げかけるのです。そうした問いを続けることで、私たちがメディアを通して知る情報が、必ずしも真実を伝えているとは限らないことに気づくことができるかもしれません。その結果、私たちはマスメディアに利用されてしまうという愚行を避けることができます。言い換えるならば、いかなる情報もすぐに信じることなく、「絶えず自らに問いかけて、多角的に問題を考察し、分析し、そして適切な答えを導き出すプロセス」――これこそが批判的思考力の要(かなめ)と言えるでしょう。

批判的思考力は生きるために必要な能力である

批判的思考力というスキルは、ビジネスの場ではもちろん、生きていく上でも必要不可欠な能力です。実際、世界の大手企業の集まりで組織されている民間団体「世界経済フォーラム（通称ダボス会議）」は、2020年において必要なスキルとして、批判的思考力を第2位に挙げました。[*2] また、日本においても2012年の中央教育審議会高等学校教育部会において京都大学教授の**楠見孝**が、批判的思考力を「高校生が身につけておくべき最も重要なものである」と指摘しています。[*3]

とりわけ、情報社会と言われる今日、批判的思考力の重要性はますます高まっています。実際、テレビや新聞といった報道機関でさえ、間違ったニュースを報道することがあるかもしれません。こうした報道機関は、往々にして政府や大企業の強い圧力を受けており、彼らの利益を損なうような報道を極力避ける傾向があります。新聞記者と政府が裏で協力したり、テレビ局がスポンサーの意図を汲んでウソの情報を流すことさえあるかもしれません。事実、近年ではフェイクニュースと呼ばれるウソの情報がインターネット上に氾濫(はんらん)し、ネットユーザーを欺く事件が度々(たびたび)起こりました。例えば、2016年のアメリカ大統領選挙では、政治家が世論操作を目的として意図的にフェイクニュースを拡散する事態にまで発展しています。「ドナルド・トランプ氏をローマ教皇が支持している」「民主党のヒラリー・クリントンが児童売春に関わっている」などといったウソの記事が盛んに広められ、さらにはこうしたフェイクニュースを鵜呑みにした男性が、ライフル銃を持って児童売春の拠点とされたピザ屋を襲う事件さえ起こりました。

こうした事例は、私たちの生きている社会が、ありとあらゆるウソの情報で覆われているという危機的な状況を裏付けるものとなっています。事実、今はツイッターやフェイスブックなどのソーシャルネットワーク（ＳＮＳ）を使って、誰もが情報を発信できる時代です。友人から送られてきたニュース記事を安易にリツイートしたりモーメンツにアップしたりして、いつのまにか自分もフェイクニュースを拡散してしまうかもしれません。アメリカの調査会社 Pew Research Center は、５人に１人のアメリカ人がフェイクニュースを他人に流してしまったことがあるという衝撃的な結果を発表しています。私たちの社会は「事実とウソ」が錯綜する大きな迷路であると言っても言い過ぎではないのです。

＊2　*"The 10 skills you need to thrive in the Fourth Industrial Revolution."* https://www.weforum.org/agenda/2016/01/the-10-skills-you-need-to-thrive-in-the-fourth-industrial-revolution/

＊3　楠見孝『批判的思考について ―これからの教育の方向性の提言―』文部科学省、2012年。http://www.mext.go.jp/b_menu/shingi/chukyo/chukyo3/047/siryo/__icsFiles/afieldfile/2012/09/20/1325670_03.pdf

日本人に必要な批判的思考力

これらの点を踏まえると、批判的思考力がいかに重要なスキルであるかが改めて理解できるのではないでしょうか。しかし残念なことに、日本人は長年この批判的思考力を磨いてこなかったように思われます。調査会社である世界価値観調査（World Values Survey, WVS）によれば、日本人のマスメディアに対する信頼度は、世界80ヶ国中ダントツの1位です。私たち日本人はいわば、マスメディアの報道をすべて信じてしまう「メディア崇拝」に陥っていると言ってもいいかもしれません。これはきわめて危険な状況です。前にも述べたように、私たちの社会では、政府や大企業がマスメディアに大きな影響を及ぼしています。不都合な事実を隠すために、政府や大企業は意図的に報道内容を歪めたり、情報を操作することが可能です。例えば、外国人労働者の犯罪に関する事件をニュースで誇張するだけでも、外国人に対する批判がすぐに噴き出すかもしれません。それが結果的に、移民を排斥しようとする暴力活動や、特定の文化に対するヘイトスピーチを引き起こし、ますます外国人との軋轢を悪化させることさえあるかもしれないのです。

しかし、今の日本の国語教育において、とりわけ問題に対して1つの正解を求めるような受験重視の授業では、このような情報操作に対処するために必要な批判的思考力が磨かれる機会はほとんどないと言ってもいいでしょう。それに対して文学批評の領域は、批判的思考力を培う絶好の場であると言っても過言ではありません。生徒たちは文学の批評を試みることによって、鋭敏な洞察力を培う貴重な機会を得ることができます。言いかえれば、文学批評とは、私たちが批判的、自律的、論理的な思考を培うために有益な学習プロセスなのです。さらに、こうした経験を通して得られたスキルは、文学の領域だけに通用するものではありません。生活、仕事、研究など、今後経験するあらゆる場面で応用できる、重要な力であると言えるのです。

世界トップレベルの教育システム——国際バカロレア

教育界における文学研究の普遍化

実際、文学批評による批判的思考力の育成は、現在世界の教育界での主流となりつつあります。代表的な例として、**「国際バカロレア**（International Baccalaureate, IB）」という教育制度を挙げましょう。国際バカロレアとは、1968年にスイスで誕生した小中高一貫の教育プログラムです。この教育プログラムでは、高校3年目の最終試験に合格した生徒は、国際バカロレア機構から大学入学資格（国際バカロレア資格）を授与されることになっています。この資格で高い点数が得られれば、卒業生はアメリカやヨーロッパの名門大学へ自由に入学できるという、汎用性にすぐれた資格です。日本でも、東京大学や早稲田大学などをはじめ、300校以上の大学機関が国際バカロレア資格を受験資格として認定しています。文部科学省は現在、国際バカロレアを多くの学校に導入しようと努力しており、2020年までに国際バカロレア認定校を200校まで増やすことを目標に掲げました。こうした点を考えると、国際バカロレアはまさに世界トップクラスの教育制度と言っても良いでしょう。

興味深いのは、この国際バカロレアプログラムにおいて、「文学批評」が最終試験の必修科目に含まれているという点です。事実、高校生は文系理系を問わず、卒業するためには全員が文学批評の試験を受けなければなりません。

例えば、2019年に出題された文学批評の試験問題を見てみましょう。

- 小説の展開において、時間の流れが重要な役割を果たす事があります。小説の構成において時間の流れはどのように扱われ、どのような効果を上げているかを、少なくとも2作品を比較・対比しながら論じなさい。
- 少なくとも2人の詩人による作品を比較・対比しながら、視覚的表現がどのように用いられ、またそれがどのような効果を生み出しているか論じなさい。
- 戯曲は、どのような方法を用いて社会問題を反映していると思いますか。考えるところを、学習した2つ以上の作品を比較・対比し、論じなさい。

生徒たちはこうした問題の中から1つを選んで、2時間以内に解答を完成させなければなりません。このような高度な文学批評を行うために、国際バカロレアを受ける生徒たちは日々学校で文学の授業を受けているのです。

それでは、なぜそこまで国際バカロレアは文学研究を重視するのでしょうか？　それに対する答えとして、国際バカロレア機構が発行した**『指導の手引き』**には、文学を学ぶことで

文学とは、批判的な見解を体系的に学ぶ学問

「自立的に考え、独自性に富んだ、批判的かつ明晰な思考の発達をうながす」ことができると明確に述べられています。このように、世界最先端の教育制度においても、文学批評は生徒の批判的思考力を伸ばす上できわめて重要な位置に置かれていることが分かります。

それでは一体、どのように文学を学べば批判的思考力が身につくのでしょうか？　国際バカロレアは、生徒が批判的思考力を伸ばすためのカギとして、教師が文学作品を「異なる複数の批判的な見解」を通して体系的に教えることが不可欠であると述べています。実際、国際バカロレアを受講している現役の高校生は、多種多様な角度から文学テクストを論じることによって、批判的思考力のスキルを培う努力を続けています。本書でもこの方法を使ってみることにしましょう。つまり、文学作品をさまざまな視点から批判的に読み解くことで、批判的思考力を伸ばしていくという手法です。

次に、どのような文学作品を対象にするべきでしょうか？　分かりやすさで言えば、やはりこの本を手に取る読者のみなさん全員になじみのある作品を選ぶべきでしょう。すぐに思い浮かぶのは、名作と呼ばれる近代の文学作品の数々、例えば夏目漱石の**『こころ』**や**芥川龍之介**の**『羅生門』**などかもしれません。たしかに、これらの作品は、日本の文学界から高く評価されており、日本文学史に残る逸品と謳(うた)われています。しかし、だからといって津々浦々の日本人が全員読んでいる文学作品かとたずねられると、ちょっと微妙です。もちろん、出版社によっては国語の教科書に『こころ』や『羅生門』が載っている場合もありますが、決してすべての出版社の教科書に載っているわけではありません。また、現代に生きる私たちの趣味や趣向はますます多様化しています。同じ小説好きと言っても、推理小説が好きな

人もいれば、ライトノベルしか読まない人も少なくありません。文化の多極化が進んでいる現代においては、夏目漱石や芥川龍之介の小説すら、分かりにくい作品として敬遠している若者がいるのも実情です。

こうした点を考慮して、本書では**『桃太郎』**をテキストとして用いようと思います。『桃太郎』は、日本人なら誰もが知っている物語ですし、明治時代には小学校の教材として国民的な文学作品となりました。また、**尾崎紅葉**[*4]、芥川龍之介、**菊池寛**[*5]など多くの作家が『桃太郎』に関する著作を発表しており、『桃太郎』がどれほど日本人に親しまれているのかが分かります。ある調査によれば、なんと日本人の約8割が『桃太郎』のストーリーを述べることができると言われています。[*6] 本書は、『桃太郎』への多彩な読み方を理解することによって、文学の読解の手法を学び、批判的思考力を養い、文学をより身近に感じてもらうことを意図しています。

それでは、具体的にどのように『桃太郎』を使って文学を学んでいくのでしょうか？　ほんの一例を紹介すると、以下のような視点から考察していきます。

- 『桃太郎』を自分が感じた印象に沿って分析してみる。
- 『桃太郎』という物語の形式を分析してみる。
- 桃太郎がヒーローであるという常識を覆（くつがえ）してみる。
- 桃太郎がなぜ鬼ヶ島に行ったのか、隠された動機を探ってみる。
- イヌ、キジ、サルの目線から桃太郎を批判する。

- おじいさんとおばあさんの視点から桃太郎を考える。
- 語られなかった鬼の立場から、桃太郎の存在を分析する。
- 『桃太郎』と私たちの生活との関わりについて考える。

この本が、読者の皆様にとって文学をより深く知る一助になれば、筆者としてこれ以上の喜びはありません。次の章ではまず、すぐれた文学批評とはどういうものなのか、その本質について見ていきましょう。

＊4　尾崎紅葉　小説家（1868〜1903）。山田美妙らと硯友社を興し、「我楽多文庫」を発刊。泉鏡花、秋田秋声など多くの門人を世に送り出した。代表作に『三人妻』『金色夜叉』など。

＊5　菊池寛　小説家（1888〜1948）。文学家協会の設立に尽力し、雑誌「文藝春秋」を創刊。のち、芥川賞、直木賞を制定した。『恩讐の彼方に』『藤十郎の恋』などが代表作。

＊6　鳥越信『桃太郎の運命』ミネルヴァ書房、2004年、3ページ。

第3章 文学批評の基本

文学批評の基本

最近、**文学 YouTuber ベル**という動画クリエイターがネット上で話題を呼んでいます。特定の事務所に属していないのにもかかわらず、すでにチャンネル登録数は11万人を突破し、今最も旬なユーチューバーと言われているそうです。そんな彼女の魅力は、そのユニークな書評にありました。彼女は毎回、「これは面白い！」と思った本について、2分間の動画にまとめて YouTube 上で発信しています。彼女は率直で分かりやすい書評を行うことで、多くの若者の共感を呼んでいます。例えば、**ジェローム・デイヴィッド・サリンジャー**[*1]の**『ライ麦畑でつかまえて』**[*2]の書評では、「神経質な中二病が愚痴を吐きまくっているだけにもみえる」ので「読む人を選ぶ作品」であると批判的に述べる一方、「10代の孤独や憂鬱の見事な表現」に感動したと、平衡のとれた見方で作品を評価していました。

文学 YouTuber ベルの書評は、ある意味で文学批評の本質を捉えていると言って良いでしょう。文学批評とは、一般的に文学作品を分析してその価値を判断することを目標としています。鑑定家が骨とう品を手にとって入念に観察し、その価値を判定するように、批評家は文学作品をさまざまな角度から眺め、その真価を見定めようとします。

文学批評＝文学作品の価値を判断すること

ここで忘れてはならないのは、いかなる文学批評もすべて主観的なものであるという点です。実際、『ブリタニカ国際大百科事典』では、文学批評を「文学作品の享受体験に基づいて」その価値を判断する活動であると定義しています。ここでは「**享受体験**」という難しい言葉が用いられていますが、つまるところ文学批評とは、「自分はこの作品を読んでどう感じたのか?」という、きわめて初歩的な問いへの解答であると言えます。この見地に立てば、文学 YouTuber ベルも批評家の1人であるとみなすことができるかもしれません。

しかし、たとえ文学 YouTuber ベルの書評が文学批評の一形態であるとしても、それが果たして「質の良い」批評かどうかはまた別問題です。実際、彼女の批評を、『ライ麦畑でつかまえて』の芸術的価値について的確に捉えているものだと考える人もいれば、ただの読書感想文だと毒づく人もいるかもしれません。ということは、私たちは自分でも無意識のうちに、文学批評を良いものと悪いものとに分けて考えていることになります。それでは、質の良い批評と質の悪い批評の境目は、一体どこにあるのでしょうか?

主観性とは何か

主観性と客観性

この点について考える前に、少しの間「主観的」という言葉の意味について考えてみたいと思います。なぜなら、「主観的」や「客観的」という言葉は、これから見ていく文学批

＊1 ジェローム・デイヴィッド・サリンジャー アメリカの小説家(1919～2010)。『ライ麦畑でつかまえて』で一躍文壇の寵児となり、その繊細な感覚と独特の語り口で、特に若い世代の心を強くとらえた。

＊2 『ライ麦畑でつかまえて』 J. D. サリンジャー、野崎孝訳、白水社、1984年。原著は *The Catcher in the Rye*, 1951.

評の本質と密接に関わるキーワードだからです。国語辞典『大辞泉』は、「主観的」という言葉を、私たちの判断が「個々の人間に依存しているさま」、もしくは「自分ひとりのものの見方・感じ方によっているさま」[*3]を形容する言葉として定義しています。こう考えると、「主観的」とは「個人的」という言葉と同義語であると言えるかもしれません。例えば「梅干しは酸っぱい」という知識は、私たちが舌で感じる個人的な経験がもとになっています。また、「私はピアノが弾ける」という判断も、他人の意見に関係なく自分ひとりが確信しているという意味で個人的です。

このように、私たちが今持っている多くの知識は、そのほとんどが主観的なもの、つまり個人的な印象に由来しています。しかしながら、たとえ主観的な知識が日常生活で多く活用されているとしても、学問の領域においては、一般的に「主観的」という言葉はきわめてネガティブな意味合いを持つのが現実です。一例として、「たまごは身体に良い食べ物だ」という主張を考えてみましょう。もし私がこの主張を個人的な経験に基づいて（たまごを食べたらかぜが治ったとか、たまごを食べると気分が良くなるなど）論じたとしたら、科学者たちはその主張を受け入れることはまずありません。しかし、もし私が「たまごは身体に良い」という主張に関する実験を行い、集めたデータを分析しながら論じるならば、恐らく私の主張は「客観的な」知識として受け入れられることでしょう。

ここで言う「客観的な」知識とは、「個人の印象に影響されていない、社会に広く共有された」事実という意味です。学問の領域において、もっとも重要なのはこの客観性です。たとえ「たまごは身体に良い」という理論を自分では正しいと確信していても、それが単に主

学問の領域で重要なのは客観性

観的な知識（自分の感情や経験）に基づいているならば、学界から「非合理的」で「非科学的」な考えであると見なされ、受け入れられることはありません。しかし、それをいったん科学的な方法で「客観的」に証明したならば、学問の世界はそれを新しい真理と見なし、受け入れます。このことを踏まえると、あのYouTuberベルが行うような主観的で個人的な分析は、文学研究の領域においてまったく価値のないもののように思えるかもしれません。「この作品はつまらない、あの作品は面白い」といった主観的な印象など、あやふやで信頼できないというわけです。

主観的であることは悪いことか？

上記の内容は、一見すると言うまでもない、当たり前の事実のように思えます。しかしながら、このような「客観的＝真理、主観的＝虚偽」という論理は、実は私たちが陥りやすい、きわめて危険な思考パターンなのです。というのも、今日の科学界では、それまで見過ごさ

＊3 『大辞泉』小学館、1998年、「主観的」の項。

れてきた「主観的な知識」の重要性が再評価されつつあります。一例として、物理学の発展に大いに貢献したポーランドの天文学者**ニコラウス・コペルニクス**[*4]について考えてみましょう。彼は、従来の太陽が地球の周りを回っているという天動説を覆し、逆に地球が太陽の周りを回っているという地動説を提唱したことで知られています。今まで、コペルニクスは実験や観測という客観的な事実に基づいて地動説を主張したのだと考えられてきました。しかしながら、長年の研究の結果、どうやら彼が地動説を考え出したきっかけは彼の信仰にあったということが最近になって分かってきました。コペルニクスは当時、ネオプラトニズムと呼ばれる、太陽を世界の中心と見なす古代思想に取り憑かれていました。「宇宙の中心には地球ではなく、太陽があるべきだ」という強い信仰が、彼をして地動説を生み出させたのです。今日、私たちは太陽がもはや宇宙の中心ではないことを知っています。しかし、当時のコペルニクスが抱いていた信仰が、地動説の発見につながったというのは興味深いことです。

もう1つ別の例を考えてみましょう。ドイツの化学者**フリードリヒ・ケクレ**[*5]は、いわゆる「ベンゼン核のケクレ式」を見出し、芳香族化合物の化学の基礎を築いたことで有名ですが、この発見には彼が見た「夢」が大きく関わっていました。ケクレはある夜に、ヘビが自分の尻尾を飲み込んでいるイメージを夢に見て、それを炭素原子の構造に結びつけたと述べています。何やら小説めいた話で疑うむきもありますが、こうしたことから分かるのは、「信仰」や「夢」といった極めて主観的な知識も、科学における進歩のためには重要な要素であったということです。近年では、自然科学の分野において主観的な知識の重要性がますます注目され、数多くの研究者がさまざまな発表を行っています。[*6]

学問に不可欠な主観性

実験から得られる客観的な知識は、たしかに自然科学の中である程度の役割を果たしてはいます。しかしながら、**クリエイティビティ（創造力）**や**イマジネーション（想像力）**といった、主観的な知識も無視することはできません。科学哲学者の**野家啓一**が述べているように、「科学研究は数式や論理的推論で凝り固まった融通（ゆうづう）のきかないものではなく、科学者の自由な想像力と創造力が羽ばたく余地のあるダイナミックな精神活動」[*7]なのです。もちろん、今日の科学理論がすべて主観的な知識のみによって立てられたと言いたいわけではありません。コペルニクスやケクレの発見も、その後の観測結果や実験結果という客観的な知識を取り入れることで、正しい知識として立証されることになりました。つまり、主観的な知識と客観的な知識は、決して対立的な関係ではなく、互いに不足をおぎなう相補的な関係にあると言えるのです。

＊4　ニコラウス・コペルニクス　ポーランドの天文学者（1473〜1543）。イタリア滞在中、新プラトン主義思想の息吹きに触れ、古典学、天文学に関心をいだいた。天体観測を続け、ギリシャ思想をうけて地動説を主張し、近代天文学の出発点を確立した。

＊5　フリードリヒ・ケクレ　ドイツの化学者（1829〜96）。炭素は原子価が４の元素であり互いに結合して連鎖をつくると考え、古典有機構造論の基礎を確立、次いでベンゼンに六角の環状構造を与え芳香族化合物研究の道を開いた。

＊6　例えばアメリカの科学史家トーマス・クーンは、科学の発展において決定的な意味をもつのは客観的な知識ではなく、科学者たちの信念や主観であると述べている（T.クーン『科学革命の構造』中山茂訳、みすず書房、1974年、第２章）。また、エディンバラ学派と呼ばれるグループは、数学や論理学さえも社会的、文化的な影響を受けていると指摘した。

＊7　野家啓一『科学哲学への招待』筑摩書房、2015年、125ページ。

すぐれた批評とは何か？——印象批評の登場

主観性を重視する印象批評

こうした上記の構造は、文学批評の領域においても同じです。文学批評は主観的な知識だけでは成り立ちませんし、客観的な知識のみに頼っても良い批評は生まれません。もし仮に、主観性のみに頼って作品の価値を判断したり、客観的な知識だけで文学作品を批評したりすると、どのような問題にぶつかるのでしょうか？　ここでは、過去に主観的な分析を追求しようとした文学批評と、客観的な分析のみを追い求めた文学批評を見てみましょう。これらの文学批評の問題点について考えることは、こうした批評がなぜ現代において廃れてしまったのかを理解する手助けとなります。

1つ目は、主観的な印象を絶対視した、「**印象批評**（Impressionistic criticism）」と呼ばれる批評スタイルです。印象批評は、人間が持つ繊細な感性を磨くことによって質の良い批評を行おうとしました。「もし、鋭敏な感性を培い、個人的な印象に忠実であろうと努めるなら、すぐれた批評を行うことができるはずだ」、印象批評のグループはそう考え、その通り実践しました。この派における著名な批評家としては、**マシュー・アーノルド**[*8]や**アナトール・フランス**[*9]などが挙げられます。彼ら印象批評派の強みは、自身の批評の出所が、作品から滲み出た印象そのものにあったという点にありました。

例えを使って考えてみましょう。ある学者が、「愛」という概念について長い間研究していたとします。その結果、彼は人間が愛を感じる生理的メカニズムを完璧に理解し、愛とは何かについて客観的かつ科学的な言葉で説明することまでできるようになりました。しかし、

感性によって文学を評価する

この学者は今まで誰かを愛したことが一度もありません。一方、ある青年は、愛という概念がどのようにして生まれるのか、その客観的な構造についてはまったく分かりませんが、ある女性と恋に落ちて、愛の甘さと苦さとを深く味わいました。では、この学者と青年では、どちらが愛についてよく知っていると言えるでしょうか？　多くの人は、青年の方こそ愛とは何かを本当に知っている人間であると考えるかもしれません。印象批評も同様に考えます[*10]。つまり、個人的な印象こそが、理性による分析よりもすぐれていると彼らは指摘したのです。

この点を踏まえると、印象批評の考えは一見もっともらしく思えるかもしれません。事実、ヨーロッパでは20世紀に入るまで、文学作品の価値は私たちの感性によって判断されるべきだという考えが主流でした。当時の人間にとって、文学とは人間の創造性が発揮される領域だったのです。もし文学がそれまでにないものを作り出す、創造的な活動であるならば、その創造性の価値はどうやって評価できるのでしょうか？　この点について、美学者の**佐々木健一**は、次のように述べています。

＊8　マシュー・アーノルド　イギリスの批評家（1822～88)。『批評論集』に代表される文学批評と『教養と無秩序』『文学とドグマ』にみられる「教養の使徒」としての文明批評を広い視野のもとに行った。

＊9　アナトール・フランス　フランスの批評家（1844～1924)。客観的科学的批評に対して印象批評を唱えた。1921年ノーベル文学賞受賞。主著に小説『神々は渇く』がある。

＊10　こうした主観的な感覚については、近年脳科学の分野においても注目されている。例えばオーストラリアの科学者デイビッド・チャーマーズは、私たちの脳が生み出すこうした主観的な知識を「クオリア」と名付けてその重要性を指摘した（『意識する心』林一訳、白揚社、2001年)。

いままでにないものを作り出すのですから、その新しさを測る基準もまた、既製品ではありえません。新しいものの価値はどのようにして測られるのでしょうか。そこで注目されたのが感性です。……思想としては、**パスカル**[11]の言葉が恰好（かっこう）の目印になります。「われわれが真理を知るのは、理性によるだけでなく、また心情によってである、われわれが第一原理を知るのは、後者によるのである」……パスカルのこの言葉は、美や芸術に関する発言ではありませんが、感性学を必要とする時代の状況をよく表現しています。[12]

このように、近代ヨーロッパでは、文学作品の創造性を評価する手段として、「**感性による作品の価値判断**」が絶対視されていました。19世紀末に台頭した印象批評も、こうした伝統的な価値観を受け継いでいたと言えます。

印象批評の問題点

印象批評には優れた感性が不可欠

しかしながら、印象批評にはいくつかの欠点がありました。1つ目は、印象批評の質が批評家自身の教養に依存してしまうという問題です。そもそも、印象批評を行うには、いわゆる精神文化に対する理解と知識、すなわち人文科学、社会科学、そして自然科学をも内包する幅広い教養を培って、卓越した感性を磨かなければなりません。一例として、日本における著名な印象批評の担い手、**小林秀雄**[13]、**桑原武夫**[14]、**加藤周一**[15]の3人を挙げてみましょう。彼らに共通しているのは、文学に対する並々ならぬ鋭い鑑識眼と、広範囲にわたる洗練された素養の高さです。実際、日本近代批評の立役者と謳われる小林秀雄は、大学時代にフランス文学を研究していましたが、それだけに留まらず、マルクスや**ベルクソン**[*16]の哲学、モーツァルトのクラシック音楽、ゴッホを中心とした印象派絵画、さらには日本の中世文学などにも深い造詣がありました。日本の文化勲章およびフランスのレジオンドヌール勲章を受章し、**『文学入門』**[*17]がベストセラーにもなった桑原武夫は、フランス文学以外にも、俳句や和歌などの古典文学に関する幅広い視野を兼ね備えていました。日本文化を「雑種文化」と特徴づけて話題を呼んだ加藤周一も、ギリシャ・ローマの古典的な著作から、杜甫や中原中也の詩作、そして現代の造形美術までをも射程に入れる教養人だったのです。

印象批評における表現のむずかしさ

このように、印象批評を行う批評家は、いずれも教養のオールラウンド・プレイヤーともいうべき人ばかりでした。もしすぐれた印象批評を成し遂げたいのであれば、私たちも多種多様な社会思想、哲学、芸術に精通し、豊かな感受性を培っていく必要があります。さもなければ、私たちの批評は、ただの読書感想文とさほど変らないものとなってしまうでしょう。

しかしながら、私たちの多くは、彼らのような深い教養を持ち合わせてはいません。そもそ

＊11 （ブレーズ・）パスカル フランスの思想家、数学者（1623～62）。キリスト教弁証論の執筆に励んだ。遺稿『パンセ』が主著。数学者としては「パスカルの定理」が有名。

＊12 佐々木健一『美学への招待』中央公論新社、2004年、9～10ページ。

＊13 小林秀雄 評論家（1902～83）。『様々なる意匠』で文壇に登場し、本格的な近代批評のジャンルを開拓。『ドストエフスキイの生活』『無常といふ事』『モオツアルト』『本居宣長』など、文学、音楽、美術、歴史にわたる文明批評を展開した。

＊14 桑原武夫 評論家（1904～88）。『第二芸術ー現代俳句についてー』で伝統芸術の閉鎖性を批判して反響を呼び、戦後の近代文学における封建性批判の理論的支柱となった。また国際文化交流に努め実践的活動を行った。

＊15 加藤周一 評論家（1919～2008）。評論集『一九四六・文学的考察』を発表。その後は文学・文化・美術・政治など幅広い分野で評論活動を行った。評論『日本文学史序説』『雑種文化』、小説『ある晴れた日に』など。

＊16 （アンリ・）ベルクソン フランスの哲学者（1859～1941）。本来の時間は空間化されたものではなく持続であるという直観から出発し、独特の進化論的な生の哲学を打ち立てた。

＊17 『文学入門』 桑原武夫、岩波書店、1963年。

も、今日教養と呼ばれている知識は、**上位文化（ハイカルチャー）**と呼ばれる文化と密接な関わりがあります。上位文化とは、19世紀のエリート階級や知識階級が嗜んでいた文化のことを指します。**ホメロス**[*18]や**ウェルギリウス**[*19]などの古典文学、古代ギリシャやローマの古典美術、バッハやモーツァルトなどの古典音楽などはその代表例です。当時の社会のトップに立っていた支配階級が愛好していたこのような上位文化は、やがて大学の教育機構や文学制度に取り入れられ、社会的に高い地位を確立していきました。今日に至るまで、「**教養**」と呼ばれる精神文化の基礎を成しているのは、この上位文化であり、先に挙げた3人の知識人は誰もがこうした上位文化に対して並々ならぬ知識を有していました。一方、私たちを取り巻く21世紀の文化はこうした上位文化とは遠くかけ離れたところにあります。実際、私たちはアニメやライトノベルやデジタルアートに対する知識こそ少なからず持ってはいますが、古典文化に関する知識はまったくと言って良いほど持ち合わせていません。つまり、もし私たちが現代の文学研究の世界において印象批評を試みると、かえって自分の教養のなさ（つまりは上位文化の欠落）をさらけ出す、価値のない感想文と見なされてしまう可能性が極めて大きいと言えるでしょう[*20]。

印象批評は感動を他者と分かちづらい

2つ目に、これは1つ目の点とも関係していますが、自身の教養に基づいて書かれた印象批評は、それを読む一般の読者にとって理解できない文章になってしまう恐れがあります。例を桑原武夫の批評に見てみましょう。桑原武夫は『文学入門』において、「優れた文学とは、われわれを感動させ、その感動を経験したあとでは、われわれが自分を何か変革されたものとして感ぜずにはおられないような文学作品だ[*21]」と述べています。これは一読すると的を射た意見のように思えますが、裏を返せば桑原個人の感覚によって作品の優劣が決まってしまうことを意味しています。つまり、桑原を感動させる作品は「優れた文学」と見なされ、桑原が感動しなかった作品は「通俗文学」と見なされてしまうというわけです。もちろん、言うまでもなく私たちは桑原と同じレベルの感性を持っているわけではありません。桑原が感動しなかった作品が、他人にとって感動的な作品であるケースは数多くあるでしょう。しかし、桑原は「実生活の経験のある、良識のある大人ならば、迎合的作品について面白いとは思わぬのが当然である」[*22]と断言し、自分の良識こそが絶対的に正しいというスタンスを崩しません。ここに印象批評の弱みがあります。すなわち、自身の感性を頼りに印象批評を行うと、自己の価値基準を絶対視するあまり、違った見方を持つ他の読者を文学批評の場から排除してしまうのです。[*23]

3つ目の問題点は、個人的な印象を表現する難しさです。

桑原武夫『文学入門』

＊18　ホメロス　前８世紀ごろのギリシャの詩人。ヨーロッパ最古の詩人で、英雄叙事詩『イリアス』と『オデュッセイア』の作者といわれるが、経歴その他は未詳。

＊19　ウェルギリウス　ローマの詩人(前70〜前19)。その精妙、華麗な措辞、荘重なリズムはラテン六脚詩の頂点をきわめたものであるが、人柄は寡黙控えめで、あたかも詩文の心得なきがごとくに訥々と語ったと伝えられる。

＊20　文化と文学との関係ついては、「カルチュラル・スタディーズ」の章で詳しく扱う。

＊21　桑原、前掲書、59ページ。

＊22　同書、11ページ。

＊23　この点について批評家のスタンリー・フィッシュは、文学作品の意味を解釈できるのは教養のある読者で構成される「解釈共同体」だけであり、それ以外の人間は文学批評の場から排除されると指摘した。詳しくは『このクラスにテクストはありますか？』（小林昌夫訳、みすず書房、1992年）を参照。

桑原武夫による『アンナ・カレーニナ』の印象批評

ここでもう一度、前述した「愛」とは何かの例えを考えてみましょう。この青年は、愛がどういうものかを自身の経験を通して知ってはいました。しかし、果たして彼はそれを、誰にでも理解できる言葉で正確に伝えることができるでしょうか？　同じように、たとえあなたにすぐれた鑑賞眼があったとしても、それを言葉で説明しようとすると途端に困難さを感じるはずです。もしくは、いかに自分では理路整然と述べているつもりでも、それを読む側にとっては理解できない、あいまいな内容になってしまうかもしれません。同じく桑原武夫の『文学入門』[25]から例を引いて考えてみましょう。彼は**レフ・トルストイ**[24]の小説**『アンナ・カレーニナ』**の一節を読んでこう評しています。

> いいですね。こういうところを読んでいると、文学の喜び、それはまた人生を生きる喜びにつながるのだが、そういうものを感じますね。
>
> ……
>
> 書き方は何というかむしろ素朴な豊富さ、いわば民衆的な健康さというものが感じられる。……現代の日本文学にはそういう民衆のエネルギーというものが、どうも感じられない。[26]

もちろん桑原の言う通り、『アンナ・カレーニナ』からは「文学の喜び」、もしくは「民衆的な健康さ」というものが感じられるのかもしれません。しかし、私たち一般人が、つまり芸術的な教養を持っていない一般読者が、上記のような彼の批評を読むことで「文学の喜び」や「民衆的な健康さ」を理解することは難しいのではないでしょうか？　そもそも私たちはこうした「文学の喜び」や「民衆的な健康さ」を作品から感じられないゆえに批評家の文章を読むわけですから、論理的で明確な解説を批評家に望んでいます。一方で、印象批評は批評家自身の個性的な感性に基づいているため、結局はあやふやな言葉遣いに終始してしまいます。このように、印象批評は一般読者に文学作品の良さを伝えるどころか、逆に文学批評をいっそう難しくし、読者を文学批評のフィールドから遠ざけてしまう危険性もあるのです。

逆に読者を遠ざけてしまう危険性

すぐれた批評とは何か？——ニュー・クリティシズムの主張

上記の欠点は、当然ながら印象批評に対する反発をもたらしました。感性というあやふやな基準で文学作品の価値を判断することに異論を唱えたグループが１９３０年代に登場したのです。

＊24　レフ・トルストイ
ロシアの小説家（1828〜1910）。ドストエフスキーとともに19世紀ロシア文学を代表する作家として大きな影響を残した。主著『戦争と平和』『アンナ・カレーニナ』など。

＊25　『アンナ・カレーニナ』
上・中・下巻、L.トルストイ、木村浩訳、新潮社、1998年。

＊26　桑原、前掲書、143ページ。

ニュー・クリティシズム―客観性の重視

彼らは、正しい文学批評とは主観性を重視することではなく、厳密かつ客観的に文学作品を分析することであると考えました。この手法は「**ニュー・クリティシズム**（New Criticism）」と呼ばれています。ニュー・クリティシズムは科学的な批評を重視しました。「科学的」とは、批評の方法がシステマティックで論理的であるさまを意味しています。ニュー・クリティシズムを信奉（しんぽう）する批評家は、作品を分析する際に自分の感情や良識を持ち込むことはありませんでした。かえって、「芸術における技法の研究は、疑いなく批評に属している。……批評はもっと科学的か、正確で体系的なものであるべきだ」[*27]と批評家の**ジョン・クロウ・ランサム**[*28]が「*Criticism, Inc.*」（未邦訳）で述べたように、彼らは作品に内在する文学的技巧を重視し、文学作品を一行一行ち密に解剖しようと試みました。彼らは、あたかも化学者が世界に存在する元素を一つ一つ発見して周期表に刻むように、作品に潜む「音韻的な構造（リズムや韻律）」「シンタックス」「緊張（テンション）」「シンボル」「モチーフ」「イメージ」「両価値性（アンビバレンス）」「パラドックス」などのさまざまな文学技法を発見し、それらを系統立てて論じていったのです。

ニュー・クリティシズムの実例――『ウェストミンスター橋の上にて』分析

その一例をアメリカの批評家**クレアンス・ブルックス**[*29]の評論、**『よくつくられた壺』**[*30]（未邦訳）から見てみましょう。ブルックスはこの中で**ウィリアム・ワーズワース**[*31]の詩**『ウェストミンスター橋の上にて』**をニュー・クリティシズムの手法で分析しました。『ウェストミンスター橋の上にて』は、朝の太陽が大都市ロンドンを照らした時の美しさを謳（うた）った詩です。

> これほど美しいものがこの世にまたとあろうか。

これほど荘厳な感動に満ちた景色に気づかずに
過ぎていく者の何と魂の鈍いことか。
この都市は今しも麗しい衣のように
朝の美を身に纏(まと)う。静かに、ありのままに、
船、尖塔、ドーム、劇場、そして寺院が
野に、空にその姿を見せる、
煙一つない大気の中でまばゆく輝くその姿。
太陽がその最初の輝きでこれほどまでに美しく
谷や岩場や丘を染めたことは絶えてなかった。
かくも深い静寂を私はかつて見たことも、感じたこともない。
テムズ河は悠然と思いのままに流れていく。
なんという美しさ！　家々はまさに眠っているかのようだ。
そしてこの都市の力強い心臓はいま静かに安らいでいるのだ。[*32]

*27　Ransom, John Crowe. *"Criticism, Inc."*, The Virginia Quarterly Review, Autumn 1937.

***28　ジョン・クロウ・ランサム**　アメリカの詩人、批評家（1888～1974）。1939年に文学季刊誌『ケニヨン・レビュー』を創刊。一方で『神について』『寒気と熱気』などの詩集も執筆している。

***29　クレアンス・ブルックス**　アメリカの批評家（1906～94）。ニュー・クリティシズムのリーダーの1人として、『現代詩と伝統』『よくつくられた壺』で多くの詩の批評を行った。

***30　『よくつくられた壺』**　原著は Cleanth Brooks, *The Well Wrought Urn: Studies in the Structure of Poetry,* 1947.

***31　ウィリアム・ワーズワース**　イギリスの詩人（1770～1850）。ロマン派の詩人として、情熱的かつ純朴な詩を多く書いた。1843年には桂冠詩人に選ばれている。

***32**　詩の引用は、宮地信弘「都市嫌いの詩人のロンドン賛美：Wordsworth の「ウエストミンスター橋の上にて」」（三重大学教育学部研究紀要 2004, #55, 31～32ページ）より。

まずこの詩を読んで最初に目につくのは、「都市」と「自然」という2つの概念でしょう。事実、「船」「尖塔」「ドーム」「劇場」「寺院」といった「都市」を暗示する表現がたくさん書かれている一方、「野」「空」「太陽」「岩場」といった「自然」を連想させる言葉もたくさん登場しています。普通、私たちは都市と自然を対立するものとして捉えがちです。例えば、都市開発による環境破壊というテーマは、誰もが容易に想像できるのではないでしょうか？しかしながら、ブルックスによれば、ワーズワースはここで「都市」と「自然」を敵対するものではなく、互いに調和するものとして描いています。つまり、彼は一般に理解されている考えとはまったく逆のことを述べることにより、1つの隠された真実、つまり都市と自然は融合できるという真実を読者の前に明らかにしようと試みています。このように、一見矛盾しているような表現で真理の別の面を表す技法を「**パラドックス**」と呼びます。『聖書』にある有名な「心の貧しい人々は、幸いである。……悲しむ人々は、幸いである[*33]」というフレーズのように、パラドックスの手法は時として人間の真理を効果的に訴えかけるために用いられることが少なくありません。

また、ブルックスは「都市」と「自然」を調和させた「パラドックス」の技法を指摘しただけでなく、この詩における「**並列**」という技法にも注目しています。並列とは、2つのものを並べることで、両者の共通点や相違点を際立たせる技法です。家電販売店などではよく古い商品と新しい商品が一緒に並べられていますが、これも「並列」によって新しい商品をより引き立てる効果を狙っていると言えるでしょう。ワーズワースの場合、都市と自然を

＊33　日本聖書協会『聖書 新共同訳』「マタイによる福音書」第５章３〜４節。

並列に置くことによって自然と都市の調和が強く謳われています。実際、「太陽」の輝きによって「都市」は美しさを帯びることになり、それは「谷や岩場や丘を染めた」時よりもはるかに荘厳な景観を成しています。さらに、「船、尖塔、ドーム、劇場、そして寺院が野に、空にその姿を見せる」という描写からは、「都市」が「自然」に見事に溶け合っている印象を読者に与えます。ここで展開されているのはまさに「都市」と「自然」のハーモニーと言えるでしょう。

一方、「都市と自然の融合」というテーマは、人間以外のものを意思ある主体に見立てる「**擬人法**」という技法によっても強調されています。事実、この詩の中のロンドンは「朝の美を身に纏」い、テムズ河は「思いのままに」流れ、家々は「眠っているかのよう」です。元来無機質で人工的なイメージしかなかった大都市ロンドンは、擬人法によって命を与えられ、活力を取り戻しました。言いかえれば、こうしたさまざまな技法によって、「都市と自然の一体化」というテーマがこの詩の中で見事に逆説的に体現されているのです。

こうしてブルックスは、この詩を論理立てて分析することによって、いかにロンドンの

「有機的な側面」がワーズワースの技法によって力強く描かれているかを明らかにしました。彼は他にも『よくつくられた壺』の中で**ロバート・ブラウニング**[*34]や**ジョン・キーツ**[*35]の詩をその形式的、技巧的な側面から分析しています。

このように、ニュー・クリティシズムのグループは、文学作品を1つの独立した空間とみなしました。彼らにとって、文学作品とはいかなる外部の世界からも隔絶された、まさに「よくつくられた壺」のようなものだったのです。したがって、彼らにとって文学批評とは、作品に込められた言葉のパターンや構造を客観的に分析する、「科学的な」作業にほかなりませんでした。こう考えると、科学的な手法を好んだニュー・クリティシズムは、たしかに印象批評と比べて明確な論理性や客観性を有しており、まさにその点こそが長所として考えることができます。ニュー・クリティシズムは1960年代以降、他の文学理論に押されて急速に廃(すた)れましたが、2000年代に入るとその考えを取り入れた「**新美学主義**」という理論が誕生しました。文学テクストの独自性や特異性を強調する新美学主義は、明らかにニュー・クリティシズムと密接な関係があると言ってよいでしょう。例えば、新美学主義の実践者である**イソベル・アームストロング**はワーズワースの詩を論じる7ページの部分のうち、実に2ページを費やして、詩の中に登場する「〜の」（of）という語を論じています。[*36]

ニュー・クリティシズムの問題点

しかし、ニュー・クリティシズムにもいくつか問題点があります。第1に、ニュー・クリ

ニュー・クリティシズムは作品の社会性を無視する

ティシズムは客観性をとことん追求した結果、作品の社会的背景を一切無視しました。この本の最初の方でも説明したように、文学作品は本質的に社会における権力関係と密接に結びついています。そもそも、「英文学」や「国文学」といった概念自体が、19世紀のイギリスや日本の**帝国主義的イデオロギー**ないしは**植民地主義的イデオロギー**の要請によって誕生したものでした。このことを踏まえるだけでも、ある文学作品の意義について考えるには、その作品の政治性を理解することがどうしても必要だということが理解できます。実際、優れた文学作品には社会的メッセージ性の強いものが少なくありません。例えば、**島崎藤村**[*37]の**『破戒』**[*38]や**小林多喜二**[*39]の**『蟹工船』**[*40]には、作者が抱いていた、社会への不満や怒りが色濃く描かれています。そうした彼らのメッセージをすべて無視してしまっては、当然ながら作品の真の価値が失われるおそれがあるのではないでしょうか?

非生産的な批評

第2に、ニュー・クリティシズムには作品をできるだけ客観的に見ようとするあまり、創造性に乏しい批評が生まれるという特徴があります。もちろん、私たちは誰もが理解できる普遍的で妥当性を持った批評を目指しています。しかしながら、批評とはみんなが当たり前

＊34　ロバート・ブラウニング　イギリスの詩人(1812〜89)。好んで劇的独白の手法を用いて人間の性格や心理を力強く表現した。主要作品『男と女』『指輪と書物』『劇的牧歌』。

＊35　ジョン・キーツ　イギリスの詩人 (1795〜1821)。25歳の短命ながら天賦の才能を遺憾なく発揮してシェイクスピアに比肩する詩業を樹立した。特に『聖アグネス祭前夜』『つれなき美女』『ギリシャの壺によせて』などが生まれた1819年は「驚異の年」と呼ばれる。

＊36　P. バリー、前掲書、371ページ。

＊37　島崎藤村　小説家(1872〜1943)。小説『破戒』により自然主義文学の出発を導き、その後も『夜明け前』などの大作を完成。常に新しいものへの情熱と知性の調和を失わない求道者であった。

＊38　『破戒』　島崎藤村、新潮社、2005年。初出は1906年、自費出版。

＊39　小林多喜二　小説家(1903〜33)。1931年に日本共産党に入党したが、逮捕されて虐殺された。『蟹工船』『不在地主』など、政治運動化したプロレタリア文学の最前線において、特に集団描写

に思っていることを述べることではありません。例えば、『桃太郎』の物語は誰から見てもあきらかな**勧善懲悪**（善玉が最後には栄え、悪玉は滅びるという道徳的な話）のストーリーですが、それは言わずと知れたことであり、それを指摘するだけでは何の独自性もありません。そもそも、作品に存在する隠されたレトリックの体系は有限であり、すでに多くの学者たちによって網羅し尽くされています。そうした技巧を習得して、文学作品を批評し終えてしまったら、あとは何をすればいいのでしょうか？　こうした意味で、ニュー・クリティシズムはすでに停滞した、非生産的な境地にとどまっていると言えるかもしれません。先進的な批評とは、誰もが思っても見なかったことを作品の中に発見し、ひいては作品に対する新しいアプローチの仕方を読者に紹介する、クリエイティブな思考作業です。文学の「科学性」を盲信するあまり、すべての主観性を排除してしまうと、私たちはいつまでたっても既存の**パラダイム**[*41]から抜け出すことはできないでしょう。独創的な発見をするには、やはりある程度、主観的な感性を加味することも大切であると言えます。

こうした点への反動から、現代の文学批評では作品の政治性や社会性などの外在的な要素を考慮に入れながら文学作品を論じていこうとする新しい方法論が主流になっています。文化人類学、社会学、歴史学など、文学以外の分野で広く用いられる様々な理論を文学の場に応用することによって、多くの文学者がクリエイティブな批評の構築を試みています。その代表的な例（脱構築、精神分析、マルクス主義など）は、次章から詳しく考察していきます。

に優れた作品を生み出した。

＊40 『蟹工船』 小林多喜二『蟹工船・党生活者』新潮社、1953年所収。初出は『戦旗』1929年5・6月号。

＊41 パラダイム ある時代に支配的な特定の考え方や認識のかたち。

まとめ

私たちが一貫性と説得力をもった文学批評を行うためには、作品を客観的に分析することが不可欠です。しかしその一方で、「科学的」という言葉に惑わされることなく、おのれの鋭敏な感性によってユニークな批評を目指すことも必要です。文学批評とは、右に客観的な論理性、左に主観的な感性という天秤棒を上手に担ぎながら細い綱の上をバランスよく渡っていかなければならない、困難な綱渡りに似ているかもしれません。しかしながら、無事綱を渡り切ったその先に、喜びと驚きに満ちた貴重な発見をするはずです。最後に、**『高校生のための批評入門』**から、文学批評の本質について正鵠(せいこく)を射た一節を引用してこの章を閉じます。

「評論が人の心を動かし共感を与えるためには、論理の展開がなるほどという妥当性をもっていなければならないのはもちろんだが、主張そのものの中に、読者をハッとさせ

＊42 梅田卓男ほか『高校生のための批評入門』筑摩書房、2012年、526ページ。

るような個性的な批評が含まれていることが不可欠である[*42]」

第４章 桃太郎はヒーローなのか？

——構造主義批評と脱構築批評

脱構築批評と私たち

文学の読み方は1つではない

私たちは国語の授業でよく、「この文章において作者が言いたいことは何か、適切なものを選びなさい」という問題を目にします。選択肢が5つあり、その中から正しい答えを選択しなければならない形式です。私たちはこのような問題を解くときに、無意識のうちに文章には一つの読み方しかないと思い込んでしまっています。でも、本当にそうなのでしょうか？　文学の正しい解釈はたった1つしかないのでしょうか？

例えば、「テストの点数どうだった？」と母親に聞かれて「悪くなかった」と答える男の子を思い浮かべてみて下さい。この子の点数は果たして本当に「悪くなかった」のでしょうか、それとも「悪かった」のでしょうか？　これはすぐに答えられる問題ではありません。必ずしも「悪くない」＝「良い」ではないからです。もしかしたら、テストの成績がとても良かったのに、反抗期のせいでそっけなく「悪くなかった」と言ったのかもしれません。反対に、思ったよりもテストの成績が上がらず、そのことを知られたくなかったので「悪くなかった」と言葉を濁したのかもしれません。

このように、言葉は時にいくつもの意味を持っていることがあります。実際、「イヌ」という言葉を1つとってみても、「イヌ科の動物」「パシリ」「スパイ」「役立たず」など、実に多種多様な意味合いを含んでいるのです。もし言葉の意味がこのように1つに定まらないのであれば、言葉の集まりである文学の読み方もいくつも存在するのではないでしょうか？そう考えたのが、フランスの思想家**ジャック・デリダ**[*1]でした。「文学作品の読み方は決して

「1つには集約できない」——そうデリダは考え、文学作品に隠された新たな意味をつかみ出そうとしました。デリダが行った文学批評の手法は、今日「**脱構築**」と呼ばれています。脱構築の手法は、文学の領域だけに留まることはありませんでした。実際、脱構築から大きな影響を受けた思想家の中には、やがてこの手法を貧困、性差別、人種問題などのさまざまな社会問題に適用し、ナマの現実社会に深く関わっていこうとする活動家が多く登場することになります。

脱構築とは何か

しかし、そもそも「脱構築」とはどういう意味でしょうか？　例えば、似たような言葉で、最近よく聞かれるものに、「脱原発」というのがあります。これはその名の通り、「原子力発電（原発）」依存の社会から「脱け出す」ことを意味しています。そうであれば、「脱構築」という言葉も、同じように「構築」というものから「脱け出す」という意味があることが分かるでしょう。もし、脱原発について考え

＊1　ジャック・デリダ　フランスの哲学者（1930～2004）。フッサールの現象学を学んだのち、構造主義の手法を哲学に導入。言語の記号体系が恣意的なものであるとの認識に立って、言語の上に組み立てられた論理学の再検討を試みた。

ジャック・デリダ
photo: Jerome De Perlinghi / gettyimages

るならば、まずは「原発」とは何かについて知らなければなりません。同様に、脱構築を理解するためには、「構築」という言葉について知る必要があります。ちょっと遠回りですが、まずはこの「構築」とは何かについて考えてみましょう。

二項対立と構造主義

「構築」とは何でしょうか？　この言葉を語る上で欠かせないのは、フランスの天才文化人類学者**クロード・レヴィ＝ストロース**[*2]です。この人のすごいところは（天才はみんなそうなのですが）、それまでみんなから当たり前だと思われていたことをそのまま受け入れず、あえて疑ってかかったことです。レヴィ＝ストロースが疑問に思ったのは、「なぜ世界にはさまざまな変わった文化があるのか？」という、ごくごく当たり前のことでした。

とりわけ彼が注目したのは、結婚に関する様々なローカルルールです。例えば、中国や韓国ではイトコ同士の結婚は法律で禁じられています。一方、日本ではイトコ同士の結婚は問題ありません。さらに、イトコ同士の結婚と言っても、もっと複雑なルールがある国もあります。例えばインドネシアのある民族は、母方のイトコとの結婚はＯＫですが、父方のイトコとの結婚はＮＧです。ではなぜ父親の方だけダメなのか、彼らに聞いても「それが先祖代々のルールだから」としか答えてくれません。なぜ文化の違いによってこんなにも複雑なルールが存在するのでしょうか？　レヴィ＝ストロースはこの点に疑問を持ちました。しかも、遠くブラジルまで行って実地調査をしたくらいですから、いかに研究熱心であったかが分かります。

さて、長年の調査の結果彼が見出したのは「どの文化のルールも、きわめて論理的なシステムに基づいている」という結論でした。例えばオーストラリアの北部に住んでいるカリエラ族という先住民には、独特の結婚ルールがあります。彼らは生まれてきた子供をA、B、C、Dの4つのグループに分け、グループAの子供はグループCの子供とだけ結婚させ、グループBの子供はグループDの子供としか結婚させません。この一見意味不明なルールにも、レヴィ＝ストロースは論理的システムが存在していると考えました。そして調べてみると、なんとこの民族の結婚ルールは、ドイツの数学者**フェリックス・クライン**[*3]が発見した「クラインの四元群」という、極めてハイレベルな抽象代数学を使っていることが分かったのです。この発見は彼の名著**『親族の基本構造』**[*4]にて詳しくまとめられています。[*5]

C. レヴィ＝ストロース著
『親族の基本構造』

＊2　クロード・レヴィ＝ストロース　フランスの文化人類学者（1908〜2009）。ブラジルでの実態調査を契機として文化人類学に取り組む。構造主義人類学を発展させ、構造主義の創始者とされる。著書『悲しき熱帯』ほか。

＊3　フェリックス・クライン　ドイツの数学者（1849〜1925）。彼の業績は数学のほとんどの分野にわたるが、特に今日「エルランゲン・プログラム」と呼ばれる論文は有名で、これは多くの幾何学を射影変換群の部分群の不変量としてとらえたもので、その後の幾何学の発展に大きな影響を与えた。

＊4　『親族の基本構造』　C. レヴィ＝ストロース、福井和美訳、青弓社、2000年。原著は *Les structures élémentaires de la parenté,* 1949.

＊5　クラインの四元群とは何かについて詳しく知りたければ、結城浩氏のウェブサイト「数学ノート」を参照のこと。

オーストラリアの先住民が高度な数学システムを使っているという発見は、当時の西洋人にとって、とても衝撃的なニュースでした。それまで、西洋人たちはアジアやアフリカの人たちの文化を野蛮で意味不明なものとみなしていました。とりわけ、電気や水道もなく、未だに原始時代の暮らしをしているオーストラリアの先住民たちの生活は、彼らにとってはレベルの低い劣った文明だったのです。しかも、こうした見方は単に素人の偏見に過ぎなかったわけではありません。例えば、人類学者の**ルイス・ヘンリー・モーガン**[*6]が**『古代社会』**[*7]において、人類の発展を「野蛮」「未開」「文明」という明確な階層に分けていたように、当時の知識人の間でも「社会は野蛮なレベルから徐々に文明的なものへと進化していく」という考えが定着していました。それゆえ、先住民が行うさまざまな風習は、すべて非科学的な迷信だと思われていたのです。

レヴィ＝ストロースが明らかにした事実は、西洋人たちに驚きを持って迎えられました。なにしろ西洋人たちが知力を尽くしてやっと発見した数学理論を、動物を狩ることしか知らないはずのカリエラ族がすでに数百年前に見出していたのです。レヴィ＝ストロースの発見は、それまで白人たちの目には非論理的と見られていた複雑怪奇な文化や習慣にも、ちゃんとした論理的なシステムがあることを証明しました。今まで彼らが頑(かたく)なに信じこんでいた、「西洋の文化が一番優れている」という「迷信」がもろくも崩れ去ってしまったのです。

レヴィ＝ストロースはこの考えをさらに掘り下げました。「実はすべての文化には、共通した論理システムがあるのではないか？」と考えたのです。そこで彼は、世界各国の神話を集めて分析してみることにしました。すると、いかなる神話の中にも、普遍的な「対立関

この世界を形成する「二項対立」

係」が潜んでいることにレヴィ＝ストロースは気づきました。彼は、それら「対立関係のまとまり」を神話から抽出することで、深層に存在する法則を見出したのです。これは今日、「**二項対立**」もしくは「**構造**」という概念で呼ばれています。二項対立とは、言語学者**フェルディナン・ド・ソシュール**[*8]が提唱した概念であり、対立する2つの要素のペアのことを指します。レヴィ＝ストロースは、この世界は様々な対立する2つの要素がからみあったシステムであると考えました。例えば、人間は「男と女」という2つの要素で成り立っています。また、1日は「昼と夜」という二項対立で分けられ、物質を構成する原子は、「陽子というプラスの粒子と電子というマイナスの粒子」から成り立っています。他にも、

善／悪、光／闇、肉体／精神、生／死、社会／個人、大人／子供、理性／感性、新／旧、文明／自然、白／黒、現実／夢、意識／無意識、明／暗、原因／結果、上／下、始め／終わり、オリジナル／コピー……

＊6　ルイス・ヘンリー・モーガン　アメリカの民族学者（1818～81）。大平原のインディアン諸民族の実地調査やイロコイ族の氏族組織を研究し、進化主義人類学の権威として知られた。

＊7　『古代社会』　L. H. モーガン、青山道夫訳、岩波書店、1958年。原著は *Ancient Society*, 1877.

＊8　フェルディナン・ド・ソシュール　スイスの言語学者（1857～1913）。彼の死後出版された『一般言語学講義』は、当時歴史的な面に集中していた言語研究を記述言語学へと向かわせ、個別的なものの寄せ集めになりがちだった記述に構造、体系の骨組みを与える上で決定的な役割を果たした。

など、二項対立のパターンは無数にあります。これがいわゆる脱構築における「構築」の部分です。構築とはすなわち、社会を構成する様々な二項対立のネットワークなのです。20世紀の批評家の中には、この二項対立を文学批評に応用し、作品の中から二項対立の要素を見出そうと試みたグループが現れました。彼らが好んだこの手法は、「**構造主義**」と呼ばれています（構造とは構築の同義語です）。二項対立を重視する構造主義者は、いかなる文学作品にも、普遍的な二項対立が潜在していると指摘しました。『桃太郎』を例にとって彼らの分析方法を見てみましょう。

『桃太郎』の構造主義批評

まず、川上から桃がドンブラコ、ドンブラコと川下に流れてくるということは、二項対立で言う「上／下」のカテゴリーです。こう考えれば、桃は「上なるもの」が「下なるもの」に渡したプレゼントであり、両者をつなぐかけ橋だと考えることができます。桃から生まれた桃太郎は「子供」ですから、おじいさんとおばあさんは「大人」のカテゴリーに入り、「大人／子供」という二項対立がここでも見出せます。「大人」を代表するおじいさんとおばあさんは鬼退治のために「子供」である桃太郎にキビダンゴを与えます。キビダンゴはここで、「大

桃太郎における二項対立

上／下	大人／子供	人類／自然	善／悪
川の上流 （上）	おじいさんと おばあさん （大人）	桃太郎 （人類）	桃太郎 （善）
川の下流 （下）	桃太郎 （子供）	イヌ、キジ、サル （自然）	鬼 （悪）

人」と「子供」の親愛関係を表していると言えるでしょう。また、鬼ヶ島に向かう途中、桃太郎はイヌ、キジ、サルに出会い、キビダンゴを与える代わりに彼らを家来にします。桃太郎と動物たちの関係は、「人類／自然」という二項対立で表すことができるでしょう。ここでもキビダンゴは「人類」と「自然」を結ぶ役割を果たしているとみなすことができそうです。桃太郎は鬼を退治しますが、彼らを根絶やしにすることはしないで、宝物を持ち帰ることで鬼と和解します。言い換えれば、鬼という「悪」の暴走を「善」である桃太郎が押し戻し、「善／悪」のバランスを回復させたと考えることができます。

作品の内容ではなく、構造を分析できる

文学における構造主義の成果

このように構造主義的に『桃太郎』を解釈するならば、『桃太郎』の物語は、キビダンゴという媒体を通して、「大人／子供」や「人類／自然」という対立軸の緊張を和らげ、不安定な状態を安定した均衡状態へと導くストーリーであると考えることができます。こうした二項対立が見られるのは、『桃太郎』だけにとどまりません。前にも述べたように、構造主義者にとって、おしなべてすべての文学作品には、何らかの二項対立が含まれています。夏目漱石の『こころ』にしろ、**東野圭吾**[*9]の**『容疑者Xの献身』**[*10]にしろ、**長谷川町子**[*11]の**『サザエさん』**にしろ、構造主義批評を適用すれば、「男／女」「理性／感性」「大人／子供」のような二項対立を見出すことができるのです。

これは構造主義の1つのメリットと言えます。それまで、多くの評論家は文学作品を「純

文学」と「**大衆文学**」という2つのタイプに分け、純文学のみを真の文学と位置づけて分析する一方、大衆文学を無視し続ける傾向がありました。例えば詩人の**北村透谷**[*12]は、人生の真理を探求する目的を持って書かれた作品を純文学と呼んで理想的な文学と考える一方、探偵小説や政治小説などはまったく価値がない作品であるとバッサリ切り捨てています。[*13]事実、大正時代から昭和時代にかけては、自己の経験や心境をあるがままに描くことによって真剣に自分自身と向き合おうとする「**私小説**」が純文学と呼ばれ高く評価されましたが、読者の娯楽のために書かれたとみなされた作品は大衆文学と呼ばれて批評の対象から外されてきました。

さまざまなジャンルにも対応できる構造主義批評

こうしたジャンル上の差別が出来た背景には、文学作品をその内容によって判断しようという考え方がその当時一般的だったことが理由の1つとして挙げられるでしょう。しかし、構造主義の登場は、そうした従来のジャンルの違いを踏み越える機会となりました。実際、構造主義批評は、作品の内容には基本的にノータッチです。先に挙げた『桃太郎』の分析のように、構造主義は文学作品における二項対立の「構造」のみに注目してきました。つまり、彼らは物語の「形式」に注意することはあっても物語の「内容」に留意することはなかったのです。

構造主義は作品の内容には触れないため、どんなジャンルの文学作品でも扱うことができるようになりました。現代においてテクストの形態は多様化の一途をたどっています。従来の「小説」「詩歌」「戯曲」「随筆」といったジャンルに当てはまらない形式の作品が多く社会に広まっているのです。例えば、**『NARUTO -ナルト-』**[*14]や**『ONE PIECE』**[*15]などのマンガは**グラフィック・ノベル**と呼ばれ、海外で高い評価を受けてきました。他にも、**二次創作小説（ファン・フィクション）**や**ハイパーテクスト・ナラティブ**[*16]など、文学とメディアの境界線上に位置するテクストも生まれています。現代社会に生きる私たちにとって、そうした新しい文学作品に対する評価を避けて通ることはできません。実際、国際バカロレア制度を取り入れている高校では、文学の授業でグラフィック・ノベルやファン・フィクションなども教材の1つとして扱い、批評する試みがなされています。こうした状況において、構造主義は私たちがテクストの多様化に戸惑うことなく、いかなるテクストにも対応できる重要な研究方法の1つと言えます。

作者の死——作者はもはや存在しない

構造主義が果たした成果は他にもあります。構造主義が広まったことで、文学における「作者」の存在が消滅したことはその1つです。それまで、文学作品の批評では作者の意図というものが重要でした。事実、構造主義が登場するまでは、作者の人生を学ぶことで、テクストから作者の思いを解読する、いわゆる**伝記的批評**が文学研究において主流でした。それが、構造主義の出現によって、作者の存在はもはや無用のものとなったのです。構造主義

＊9　東野圭吾　小説家（1958〜）。1985年に『放課後』で江戸川乱歩賞を受賞し、デビュー。『容疑者Xの献身』で直木賞を受賞し、人気作家として活躍。2014年から直木賞の選考委員。

＊10　『容疑者Xの献身』文藝春秋、2005年。初出は『オール讀物』2003年〜。第134回直木賞受賞作。

＊11　長谷川町子　漫画家（1920〜92）。福岡から上京し漫画家を志して田河水泡の門に入る。日本版『ブロンディ』ともいわれる『サザエさん』には、女の目から見た生活の細部のおかしさが生かされているが、ほかに『似たもの一家』『仲よし手帳』『いじわるばあさん』などがある。

＊12　北村透谷　詩人（1868〜94）。文学雑誌『文學界』の指導理論家としてロマン主義運動を展開したが、自殺を遂げた。代表作に劇詩『蓬萊曲』、評論『厭世詩家と女性』など。

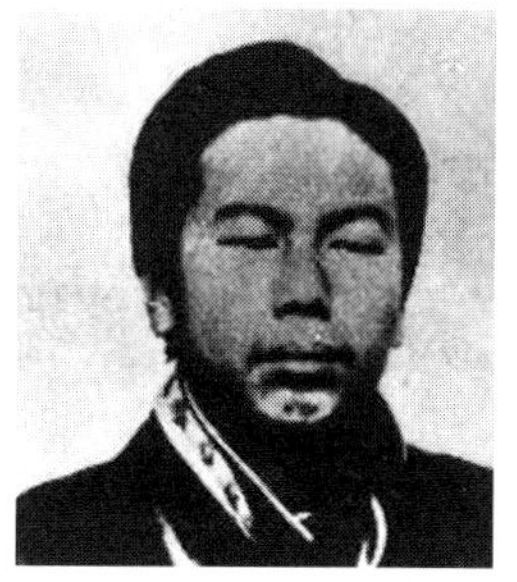

＊13　北村透谷『人生に相渉とは何の謂ぞ』旺文社、1979年。

＊14　『NARUTO -ナルト-』　岸本斉史作、集英社、1999〜2014年まで『週刊少年ジャンプ』で連載。

＊15　『ONE PIECE』　尾

が重視するのは、物語に存在する様々な「枠組み」や「二項対立」であり、作者の意図はまったく関係ありません。言いかえれば、私たちはたとえ夏目漱石が誰なのか、そして彼がどうして『こころ』という作品を書いたのか知らなかったとしても、『こころ』を構造主義的に批評することが可能になるのです。この点について、フランスの構造主義批評家の1人である**ロラン・バルト**[17]は、自著**『物語の構造分析』**[18]において、作者とはもはや「**紙の存在**」[19]であると述べました。作者とは「作品の意味を知っている」特権的な人間ではなく、ただ物語を読者に提供するための機能的な存在にすぎないのです。バルトはこうした状況を「**作者の死**」と表現しています。

しかし、構造主義の最大の成果は、なんと言っても**物語論の体系化**でしょう。物語論とは、ストーリーの型を研究する領域です。構造主義の手法を使うことによって、人類が作り出すいかなるストーリーにも、英語や日本語の文法のように法則があることが分かってきました。構造主義は、あたかも腕の良い外科医のように文学作品に鋭いメスを入れ、論理的に分析することによって、そうした法則を見出すことができたのです。例えば、文学者**ユーリ・ロトマン**[20]は、**『文学理論と構造主義』**[21]において、文学作品における空間の枠組みをシステマティックに論じています。彼によれば、文学作品に登場する人物は「**動的な登場人物**」と「**不動的な登場人物**」の2種類に分けることができます。動的な登場人物とは、物語において、ある空間からもう一つ別の空間へと移動する人物を指します。この空間移動によって、物語における人間関係や社会が変化し、事件を引き起こすとロトマンは指摘しました。例えば、『桃太郎』において主人公桃太郎は動的な登場人物であり、ストーリーの中で村から鬼ヶ島への

グレマスの記号論的四角形

空間移動を経験しています。一方、ロトマンの理論に基づけば、鬼やおばあさんは不動的な登場人物のグループに属し、桃太郎の空間移動によって事件に巻き込まれる側であると考えることができるでしょう。

また、言語学者**アルジルダス・グレマス**[*22]は**『意味について』**[*23]の中で、二項対立をダブルに重ねることでテクストにおける「**記号論的四角形**」を発案しました。これは、ある物語の意味を肯定項Aと仮定すれば、それに反する肯定項Bが浮き上がってくるという理論です。例えば、『桃太郎』のストーリーを考えてみてください。物語では、桃太郎が最後に鬼と戦いますが、この「桃太郎が鬼を討伐する」というパターンを、「パターンA」と名付けてみましょう。次に、私たちはこの通常の「パターンA」と反対の展開を想像してみます。例として、「桃太郎が鬼と共存する」というパターンが考えられるかもしれません。この対立するパターンを「パターンB」と名付けます。さらにここで、「パターンA」と「パターンB」にそれぞれに否定項「マイナスA」と「マイナスB」を加えてみます。すなわち、パターンAの「桃太郎が鬼を討伐する」の否定項「マイナスA」は「桃太郎は鬼を討伐しない」であ

田栄一郎作、集英社、1997年より『週刊少年ジャンプ』で連載中。

＊16　ハイパーテクスト・ナラティブ　電子技術の発展にともなって生まれた小説の新しいジャンルのこと。伝統的な小説と違い、どのような順番で読むかが決まっておらず、はっきりした始まりも終わりもない文学作品のことを指す。こうした作品の文章はいくつもの断片に分かれており、読者はリンクをたどりながら読みたいところを自由に選択できる。

＊17　ロラン・バルト　フランスの文学者（1915〜80）。ソシュールの影響を受け、言葉に対して独自の思想的立場を提唱した。著書に『物語の構造分析』『モードの体系』など。

＊18　『物語の構造分析』　R. バルト、花輪光訳、みすず書房、1979年。原著は *Introduction à l'analyse structurale des récits,* 1966.

＊19　同書、86ページ。

＊20　ユーリ・ロトマン　ロシアの文学者（1922〜93）。構造主義の影響を受け、ロシアの文学、映画、歴史などを構造主義的なアプローチで分析した。主著は他に『映画の記号論』（大石雅彦訳、平凡社、1987年）。

＊21　『文学理論と構造主義』　Y. ロトマン著、磯谷孝訳、勁草書房、1978年。

＊22　アルジルダス・グレマス　フランスの言語学者（1917〜92）。物語を支配する普遍的な意味構造の解明に努め、独自の構造理論を生み出した。

り、パターンBの「鬼と共存する」の否定項「マイナスB」は「桃太郎は鬼と共存しない」となります。私たちはこのA／Bの二項対立とマイナスA／マイナスBの二項対立を組み合わせることによって、『桃太郎』においてあり得た様々なストーリーを想定することができます。例えばAとBを組み合わせて「鬼を退治したあと、鬼たちと共存していく」というストーリーも考えられますし、一方でマイナスAとマイナスBを組み合わせて、「村ごと引っ越して鬼から離れる」というストーリーを見出すこともできるでしょう。グレマスはこの理論を用いることで、物語にどのような二項対立が潜んでいるのか、もしくは物語に隠されたテーマとは何かといった問いへの答えを発見することが可能であると指摘しました。

さらに、構造主義は物語における人間関係にも一定の法則があることを解明しています。前に述べたグレマスは、**『構造意味論』**[*24]という本の中で、すべてのストーリーの登場人物は6種類のタイプと3つのペアで形容できると指摘しました。1つ目のペアは「主体と客体」というタイプです。主体とは、ずばり主人公であり、物語における何らかの目的（財宝を手に入れたり、美しい姫と結婚したり）を果たすためにひたすら頑張る人物のことを指します。一方、客体とは主体が求める対象（財宝や姫）のことです。2つ目は「送り手と受け手」のペアであり、送り手とは主人公を旅へ向かわせ、財宝や姫君などの客体を手に入れるよう仕向ける存在（国王や賢者など）を指します。反対に受け手とは、主人公が獲得した対象を最後に受け取る人間に相当します。3つ目のペアは「補助者と反対者」のタイプで、補助者は主人公を助ける助手のような役割を果たし、反対者はその名の通り、主人公に敵対する存在のことを意味しています。例えば『桃太郎』では、主体は桃太郎で、客体とは鬼ヶ島にある財宝

*23 『意味について』 A. グレマス、赤羽研三訳、水声社、1992年。

*24 『構造意味論』 A. グレマス、田島宏・鳥居正文訳、紀伊国屋書店、1988年。

に対応します。また、おじいさんとおばあさんは桃太郎を鬼ヶ島へ赴(おもむ)かせる送り手であり、同時に財宝をもらう受け手としても機能していることが分かります。さらに、桃太郎を助けるイヌ、キジ、サルは補助者であり、彼らに立ちはだかる鬼は反対者として存在していると言えるでしょう。

このように、構造主義の技法を用いることで、私たちは作品に潜む「無数の二項対立のネットワーク」を見つけ出し、その構造を明らかにすることが可能になります。構造主義は、一言で言えば「科学的」です。構造主義者が好む、物語を論理的に分析し、その法則を系統立てて解明していく作業は、科学者が行う分析方法とそう変わりません。こうした点から、構造主義批評はいかなる主

物語の構造

	『桃太郎』	『走れメロス』	『ONE PIECE』
主体	桃太郎	メロス	ルフィ
客体	財宝	友情	ひとつなぎの大秘宝
送り手	おじいさんとおばあさん	国王	赤髭のシャンクス
受け手	おじいさんとおばあさん	国王	ルフィ?
補助者	イヌ、サル、キジ	民衆	ゾロ、ナミ、ウソップ
反対者	鬼	強盗	アルビダ、バギー、キャプテン・クロ

観的な印象も排除することができる、客観性を持った手法だと高く評価され、1960年代に批評家たちの間で大いに流行したと言われています。

しかし一方で、当然ながら構造主義批評は科学的であるがゆえの弱みも持つことになりました。まず第1に、文学批評は構造主義批評によって、退屈極まりない作業となりました。構造主義批評が行うことといえば、ある作品の中にある二項対立を掘り出し、それを整理してどこかの文学論集に書き残すだけにすぎません。私たちはもはや、**ウィリアム・シェイクスピア**[*25]の**『ロミオとジュリエット』**の悲劇を読んで感極まって涙を流すことも、太宰治の『走れメロス』を読んで主人公の心の中にひそむ人間的苦悩に共感することもありません。かつて詩人のワーズワースは、詩の理解には「静寂の中で思い出された感情」が不可欠であると述べたと言われていますが、構造主義批評において必要になるのは、ただ作品を冷静に解体できる冷たい理性だけなのです。

構造主義が科学と似ているもう1つの面は、構造主義は対象の価値判断については一切関知しないという点です。私たちの科学はダイナマイトや原子爆弾を開発しましたが、それを何のために使うべきかという点については教えてはくれませんでした。同様に、構造主義も、作品を通して社会に潜む様々な二項対立のネットワークを見出すことができますが、そうした二項対立の関係がどのような意味を持つのかについては沈黙を守ります。例えば、構造主義批評によって私たちは『桃太郎』における人類と動物の対立項については理解できるかもしれません。しかし、「人類が動物の主人となる」という物語が果たして良いのか悪いのかについては、構造主義者はコメントすることはないのです。

構造主義批評のデメリット

脱構築の誕生

二項対立に潜む上下関係を暴きだす

さて、ここで私たちはやっと「脱構築」の本題に入ることができます。構造主義批評は、確かに物語における二項対立のシステムを明るみに出すことができました。しかし、前に述べたように、同時に構造主義は社会システムを教えてくれるだけで、それを評価したり、変革したりする術(すべ)を持っていません。では、文学とは本当に、私たちの社会システムをただ正確に反映するだけの鏡にしかすぎないのでしょうか？

こうした構造主義の欠陥を克服しようとした人がいました。前に紹介した、「脱構築」の旗手ジャック・デリダです。彼は構造主義の手法を批判的に分析し、二項対立という概念が、実際には不平等で暴力的な上下関係を含んだものであることを指摘しました。例えば、「男／女」という二項対立は、一見ごく普通の枠組みに思えます。しかし、よく考えてみると、現実の世界において男と女は決して平等とは言えません。日本において、政治家や会社の重役を占める人物はそのほとんどが男性ですし、男女の給与格差はＯＥＣＤ諸国の中でワース

＊25　ウィリアム・シェイクスピア　イギリスの劇作家(1564～1616)。俳優ののち、座付き作者として37編の戯曲、154編のソネットを書き、言葉の豊かさ、性格描写の巧みさなどでイギリス文学の最高峰と称された。

ト2です。しかも、日本の女性は一度出産のために会社を休むと、その後の職場復帰が非常に困難になります。2020年の世界経済フォーラムのジェンダー・ギャップ指数では、日本の男女平等ランキングが121位という、とても先進国とは思えないほどの低い順位であると発表されました。[*26]こうした点から見えてくるのは、「男／女」の二項対立には「女＝弱者」という差別的な思想が無意識のうちに埋め込まれているという事実です。このように、デリダによれば、いかなる二項対立の中にも、実際には差別的な上下関係を含んでいます。

次にデリダは、こうした二項対立の見えない上下関係を暴き出そうとしました。そこで彼が注目したのが文学です。彼は、文学のみが、現実世界の頑丈な二項対立を揺さぶり、切りきざみ、破壊することができると考えました。これが脱構築と呼ばれる手法です。それでは、脱構築を使った「文学の読み」の具体例を『桃太郎』を使って見てみましょう。物語の中で、主人公桃太郎は、キビダンゴをあげる代わりにイヌ、キジ、サルを家来にしました。これはよく考えてみると、ちょっと変な話です。たった小さなキビダンゴ1つで桃太郎の家来となり、しかも鬼退治にまで行くなんて、まったく割りにあいません。しかし、私たち読者は、この部分をさしたる抵抗もなく読み進めてしまいます。

脱構築批評は、こうした何気ない箇所に注目します。まず、ここには明らかな二項対立が表れています。すなわち、桃太郎に代表される「人類」と、イヌ、キジ、サルに代表される「自然」です。次に、脱構築批評は、この「人類／自然」の二項対立に隠された上下関係があると考えます。実際、ここではキビダンゴを渡した桃太郎とキビダンゴをもらった動物たちの間で主従関係が構築されました。キビダンゴの場面以降、桃太郎は動物たちの主人とし

＊26 Sustainable Japan 世界「男女平等ランキング2020」、日本は121位で史上最低。G7ダントツ最下位で中韓にも負ける。
https://sustainablejapan.jp/2019/12/18/global-gender-gap-report-2020/44753. 2020年1月22日閲覧。

て君臨し、逆に動物たちは彼の家臣として扱われることになります。つまり、『桃太郎』のストーリーには人類を上位、自然を下位とみなした上下関係が潜んでいるのです。

二項対立の上下関係は社会的に作られたもの

さらにデリダは、文学作品に潜むこうした二項対立の上下関係は、現実の社会を反映するものだと考えました。たしかに、こうした「人類／自然」の上下関係は、私たち文明人が共通して持っている、一般的な考えかもしれません。私たちの住む文明社会は、長い歴史を通じてありとあらゆる環境破壊を行ってきました。無数の森林を伐採し、汚水を川にたれ流し、今なお多くの動物たちを絶滅に追いやっています。もちろん、今では環境破壊があまりにも進み、世界各国で環境保護運動が盛んに行われてはいます。しかし、こうした「人類が自然を保護してやらねばならない」という考え方自体が、すでに私たちの傲慢さ、上から目線の態度を物語っているのではないでしょうか。言いかえるならば、自然を「人間たちに守られなければ滅んでしまうような、か弱い存在」とみなしているこの考え方こそ、人類が自然を見下している態度の表れであり、「不平等で暴力的な」上下関係の証明なのです。

また、デリダによればこうした二項対立における上下関係の構造は恣意的なものです。つまり、こうした「人類／自然」の上下関係は近代以降の産業社会が、自分たちの利益を守るために勝手に作り出したものにすぎません。実際、「人類が自然を支配するべきだ」という考え方は、決して昔から伝えられてきた考え方ではありません。例えばアメリカの先住民やオーストラリアの**アボリジニー**[*27]の文化では、「動物たちは私たち人類の兄弟であり、私たちは自然と協調しながら生きていかなければならない」という伝統がありました。日本においても、古代には自然を敬い、自然と共存しようと願う自然崇拝の概念があったと言われています。こうした点を踏まえると、「人類／自然」の上下関係は、私たち文明社会が都合のいいように作り出した「**イデオロギー**（社会を支配する特定のグループが押しつける思想）」にすぎないということになります。

コトバがイデオロギーを隠し正当化する手口となる

こうしたイデオロギーは、現代社会が思うがままに作ったものなので、それが絶対に正しいという、客観的な根拠がまったくありません。したがって、社会は何とかしてこれを正しいものに見せかけようと、「環境破壊」を「文明化」もしくは「人類の進歩」と言ったカッコいいコトバで飾り立てようとします。実のところ、デリダはこうしたコトバこそが、社会が自らのイデオロギーを隠すのに使う格好の手口であると指摘しました。私たちの社会はある特定のコトバを使い、それを特別視することで、自らのイデオロギーを正当化する傾向があります。例えば、資本主義社会は「自由」や「自己責任」といったコトバに絶対的な地位を与え、こうしたコトバを根拠にすることで過酷な自由競争を正当化します。しかしながら、いくらコトバでウソを隠そうとしても、結局のところイデオロギーはあくまでもフィクションにすぎません。**ハンス・アンデルセン**[*28]の童話に登場する裸の王様のように、実際には何の

『桃太郎』を脱構築する

正当性も持たないニセモノなのです。

デリダによれば、こうしたイデオロギーの欺まんを明らかにすることができるのが文学作品に他なりません。実際に、『桃太郎』を使って考えてみましょう。確かに桃太郎は鬼を退治しましたが、それはイヌ、キジ、サルの助けがあってこそできたことでした。もし家来である動物たちがいなければ、桃太郎は鬼に勝てなかったのかもしれません。言いかえるなら、鬼退治において一番重要な役割を果たしたのは、桃太郎ではなく、家来であるイヌ、キジ、サルの方だと言えるの

＊27　アボリジニー　オーストラリアの先住民。農耕も牧畜も行わず、まったく自然に依存した狩猟や採集を生業とし、移動生活を行っていた。現在の人口は約22万人と推定される。

＊28　ハンス・アンデルセン　デンマークの童話作家(1805～75)。失恋の苦しみを癒すために出た2度目の大陸旅行で書いた小説『即興詩人』で地歩を確立。『みにくいアヒルの子』『人魚姫』『裸の王様』などは、その最も有名な作品である。

享保年間に描かれた桃太郎の挿絵（藤田秀素画）

ではないでしょうか。ここにおいて、人類と自然の地位は逆転します。『桃太郎』というストーリーは、「私たち文明人の方こそ自然に依存しなければ生きられない、ひ弱な存在である」という隠された事実を読者の前に明らかにする媒体へと変貌するのです。このように脱構築批評を通して『桃太郎』を読むことにより、それまで私たちが無意識のうちに抱いていた「文明人＝強者」のイデオロギーは揺り動かされることになります。文明社会の自然に対する優位性は、そもそも自然が存在することによって成り立つものです。もし自然がこの世に存在しなければ、文明社会は滅亡し、人類の自然に対する優位性も存在し得ません。このことを考えると、むしろ自然の方が人類より優位にあると考えることができるのではないでしょうか。

他にも、私たちが持っている様々なイデオロギーが『桃太郎』によって覆されます。例えば「善／悪」の二項対立はどうでしょうか？『桃太郎』では善＝桃太郎であり、悪＝鬼というのが定説です。しかし、本当に桃太郎が行ったことは正しかったのでしょうか？そもそも、彼がやったことはといえば、暴力によって鬼を痛めつけるという「侵略戦争」です。桃太郎は社会にとって良い事をするために、暴力を行使しました。桃太郎を善人とみなすなら、「暴力によって社会を変革するのは善である」というイデオロギーを肯定してしまうのではないでしょうか？私たちは学校で、暴力はいけない事だと教わりました。それなのに、ここではある種の例外が認められているのです。というのも、ここで述べられている「社会」とは、一体どの社会のことを指すのでしょうか？桃太郎にとって、社会とは自分が育った村のことを指すのでしょうが、鬼たちにとっては、社会とは自分たちが住んでい

文学を脱構築することで社会の矛盾に気づく

る鬼ヶ島の社会に他なりません。もし鬼たちが生きるために村人を襲うことを決めたのであれば、それも「社会のための暴力」であり、桃太郎と同じ論理が展開されていると言えます。ここに至って、「桃太郎＝善／鬼＝悪」の二項対立は反転します。鬼が行った暴力行為を悪とみなすのであれば、桃太郎が行った暴力も悪であると認めなければなりません。鬼も桃太郎も、「社会のため」というコトバを口実にして、暴力を肯定しようとするイデオロギー装置にすぎないのです。

このように、いかなる文学作品もそれを脱構築することによって、社会に根付いていた二項対立のシステムは揺さぶられます。言いかえれば、私たちは文学作品を「脱構築」することで、それまで無意識に受け入れていた社会の様々な二項対立の矛盾にはじめて気づき、そこに存在する上下関係を転覆させることができるのです。デリダはこうした文学作品の特徴を**「プラトンのパルマケイアー」**[*29]のなかで「**パルマコン**」と呼びました。パルマコンという言葉はギリシャ語で「毒」と「薬」という両方の意味を持ちます。薬は私たちの病気を治してくれる頼もしい存在ですが、処方を間違えると死に至りかねない危険な存在でもあります。

＊29 「プラトンのパルマケイアー」 J. デリダ『散種』（藤本一勇ほか訳、法政大学出版局、2013 年）所収。

さまざまな解釈の可能性を残す必要性

同様に、文学作品に埋め込まれている無数の二項対立も、脱構築されることによって絶えずその価値が二転三転し、ときにそれが「薬」にもなれば「毒」にもなったりするかもしれません。『桃太郎』は「人類が自然を支配する」物語にもなれば、「人類が自然に支配される」物語にもなり得るのです。

ここで気をつけたいのは、デリダは決してイデオロギーをひっくり返すことを目標としてはいなかったという点です。確かに、「人類こそが自然を支配するべきだ」と考える「**人間中心のイデオロギー**」は、『桃太郎』を脱構築し読み替えることによって覆されました。しかし、物語をひっくり返したまま、物語を読みを終えてしまうと、今度は「自然の方が主人である」という「**自然中心のイデオロギー**」が頭の中で特権的な地位を占めてしまいます。そうなると、私たちは結局、また別のイデオロギーを社会の中心に据えているだけにすぎません。重要なのは、「物語の意味を1つに固定しない」というスタンスです。実際、物語とはさまざまな解釈が可能なテクストです。デリダは、色んな解釈ができるというテクストの特質を「**アポリア**[*30]」と呼んでいます。『桃太郎』は、人類が自然を支配するというストーリーと、自然が人類を支配するというストーリーの2通りの解釈が同時に成立するアポリアです。私たち読者はどちらかの解釈を選ぶのではなく、両方の解釈を平行的なまなざしで扱わなければなりません。もし物語の意味を1つの解釈に委ねてしまうなら、その解釈が社会において絶対視され、社会を支配するイデオロギーになってしまう危険性があります。さまざまな解釈の可能性を常に物語の上に残し、いかなる不確かさも解消させないこと——それこそがデリダが目指す「文学の読み」なのです。

脱構築批評の問題点

脱構築批評については、その誕生以来さまざまな限界が指摘されてきました。例えば、「デリダはいかなる解釈も特権化してはならないと言っているが、脱構築の読み方そのものを特権化しているのではないか」という批判があります。学校や図書館でおしゃべりする子供たちに向かって、「静かに！」と怒鳴り声を立てるおじさんを想像してみてください。「静かに！」という言葉の意味は理解できますが、それを怒鳴り声でがなり立ててしまうと、その発言そのものが「静かに！」という言葉の内容と矛盾してしまいます。同様に、もしデリダが脱構築の手法を文学の読みとして提唱した場合、今度は脱構築という手法そのものが絶対的な権威を持ってしまうかもしれません。しかし実際のところ、デリダ自身も自分のコトバが特権化されてしまっていることを指摘し、それが決して正しい答えではないことも認めていました。「表現の規定は、それが除外しているように見える当のものによって汚染されているのである」[*31]と、**『声と現象』**において彼はそう述べています。

＊30　アポリア　１つの問いに対する答えとして、矛盾する２つの見解が同時に成立する状態のこと。J. デリダ『アポリア』（港道隆訳、人文書院、2000 年）より。

＊31　J. デリダ『声と現象』林好雄訳、筑摩書房、2005 年、161 ページ。

一方、「脱構築はすべての価値を否定するニヒリズムである」として批判する人もいます。確かに、脱構築の考えを取り入れるなら、テクストに対する価値判断は不可能ということになるでしょう。テクストはいくつもの解釈が存在し、そのどれが正しいのかは断言できないのですから、テクストの評価は「なんでもあり！（anything goes !）」ということになります。実際、ケンブリッジ大学ではデリダに名誉博士号を授与するべきかについて当時多くの著名人から批判の声が上がったと言われており、いかにデリダの考えが真理を退けるニヒリズムとして極めて否定的に見られていたかが分かります。[*32] しかしながら、それこそが脱構築の目指すゴールであったことは確かです。前述したように、デリダは物語を脱構築することによって、いかなるイデオロギーもその特権的な地位を失うことを指摘していました。のちに構造主義から脱構築批評へと発展を遂げるバルトも、**『テクストの快楽[*33]』**において「完結された言表はすべてイデオロギー的となる危険をはらむ[*34]」と述べて、テクストに潜む一切のイデオロギーは解体すべきであると強調しました。このように、脱構築の手法は、国家や学校や世間が押し付けるいかなる言葉も、その構造を解体し、ひっくり返して無効化してしまう強力な武器です。ただし、それは同時に、脱構築を行う主体も一切の価値基準を放棄するという意味で、かぎりなくニヒリズムに近いものであることは覚えておくべきでしょう。

テクストの快楽

それでは、もし文学作品から私たちがいかなる真理も価値も教訓も得られないのであれば、私たちは一体何のために小説を読むのでしょうか？　これに対する1つの答えとして、バルトは率直に、文学作品は私たちの「快楽」のためだけに存在すると述べています。そもそも、この章の冒頭で述べたように、言葉の意味は1つではありません。例えばアメリカの文学者**ポール・ド・マン**[*35]は、言葉は本質的に比喩的であると主張しました。[*36] 私たちが伝えようとする言葉は、それが発せられた途端に2つの解釈――字義どおりの意味と比喩的な意味――の断層に引き裂かれ、あたかもメビウスの輪のような無限ループを繰り返すことになります。犬は文字通りの「四足歩行の哺乳類」を指す場合もあれば、「パシリ」という意味にもなり、「足下にお気をつけて下さい」という貼り紙は、「人生で足下をすくわれるな」という比喩的な警句へと突然変異を遂げます。

言葉の「ずれ」を楽しむ

バルトにとって、文学を読むとはこうした言葉の絶妙なずれを楽しむことでした。『テクストの快楽』で彼はこう述べています――「私が物語で味わうものは、決して内容ではないし、構造でさえない。むしろ私がその美しい外被につける擦り傷だ[*37]」と。忙しい毎日をおくっている私たちは、普通、小説を読むときにじっくりと腰を落ち着けて読むことはしない

＊32　Barry Smith, *"Derrida degree: A question of honor,"* The Times 9, 1992.

＊33　『テクストの快楽』　R. バルト、沢崎浩訳、みすず書房、1977年。原著は *Le Plaisir du texte,* 1973.

＊34　同書、14ページ。

＊35　ポール・ド・マン　ベルギーの批評家（1919～83）。ハーバード大学で比較文学を専攻した後、イェール大学教授に就任。主著に『読むことのアレゴリー』がある。

＊36　P. ド・マン『読むことのアレゴリー』土田知則訳、岩波書店、2012年、6～15ページ。

＊37　R. バルト、前掲書、22ページ。

でしょう。ストーリーの展開を早く知りたくて、飛ばし読みをしたり、適当に斜め読みしたりします。こうした読み方をバルトは否定します。彼が考える理想の読書とは、「早読みをしないこと、はしょらないこと、ゆっくり食べること、丹念に摘みとること[*38]」、つまり小説の一文一文を丹念に読み進め、その曖昧性に注目し、自由に様々な連想をしながら読んでいく作業、いわば「**生産と消費のシーソーゲーム**」と言えるかもしれません。もしくは文章をバラバラに切り刻み、文章が持っていた本来の意味を解体し、そこから新たな快楽を見いだす、アナーキーで自己陶酔的な営み――これこそがバルトが理想とする「**文学の快楽**」なのです。ここにはもはや文学を社会変革と結びつけたり、科学的なものと関連づけようとする必要はありません。「テクストに対しては、……これだという評価を下せない。さらに言えば、私にとってはこれだということだ……[*39]」、バルトは最後にそう言い残しています。

＊38　同書、23 ページ。
＊39　同書、24 ページ。

コラム

デリダとアルジェ病

脱構築の理論的立役者であるジャック・デリダは、1930年に当時フランスの植民地であったアルジェリアで生まれました。アルジェリアには、「**ピエ・ノワール**」と呼ばれる大勢のフランス系移民が住んでおり、デリダもその1人だったのです。フランスの植民地政策の落とし子であるピエ・ノワールは、二重の意味で孤立感を味わっていました。1つは、地元のアラビア人との関係です。フランスの植民地であったアルジェリアでは、アラビア人が圧倒的な多数派であったにもかかわらず、彼らに市民権は与えられず、居住区もフランス人たちとはっきり分断されていました。言葉も文化も違うアラビア人にとって、新しく入植してきたフランス人は土地を奪う侵入者であり、「よそ者」でもあったのです。したがって、ピエ・ノワールはいつもアラビア人たちの敵意を意識しながら生きていかねばなりませんでした。一方で、ピエ・ノワールはフランス本国とも断絶されたグループでした。フランスに住むフランス人にとって、アルジェリアに住むフランス人は祖国を離れた「二流の」フランス人であり、やはり「よそ者」だったのです。こうした精神的な孤立は、**「アルジェ病」**と呼ばれ、多くのピエ・ノワールたちが自らのアイデンティティーについて苦悩する原因となりました。デリダ自身も、その1人であったことを自著で語っています。しかも、彼はユダヤ人という、ピエ・ノワールたちの中でもさらにマイノリティーに属していたゆえに、三重の「よそ者」でもありました。マイノリティーにとって、多数派が宣伝するイデオロギーはいつも欺まんに満ちたものとして映ることは言うまでもありません。もしかすると、こうした「よそ者」であるという立場が、デリダに社会における「イデオロギー」の欺まんを意識させたのかもしれません。

第5章
桃太郎はなぜ鬼ケ島に行ったのか？
——精神分析批評

フロイト「私たちは無意識の欲望を持っている」

精神分析と私たち

私たちはよく**言い間違い**をします。「シミュレーション」を「シュミレーション」と言ったり、「UFJ銀行」を「USJ銀行」言ってしまうのはまだ良い方ですが、時にはひどく恥ずかしい言い間違いをしてしまうことがあったりします。実際、開会式のあいさつを任された司会者が、うっかり「では今から閉会のあいさつをさせていただきます」と発言してしまったり、教師が生徒に「ルーズソックス」と言おうとして「ルーズセックス」と言ってしまったりすると、本人のみならずその場にいる他の人もざわついてしまうでしょう。どうして私たちは言い間違いをしてしまうのでしょうか?

こうした点について興味深い洞察を与えてくれたのが、オーストリアの精神科医である**ジークムント・フロイト**[*1]です。彼は、言い間違いをする人の心理を調べるうちに、人間には本人も認識できない「無意識の欲望」があるのではないかと考えました。先ほど挙げた例で考えてみますと、閉会のあいさつと言ってしまった人は、早く家に帰りたいという欲望を無意識のうちに持っていて、それが思わず口から出てしまったわけです。「ルーズソックス」ではなく「ルーズセックス」と言った教師の場合、セックスに対する欲求不満が理性を越えて口に出てしまったと解釈することができるかもしれません。このようにフロイトによれば、私たちの心の底には、意識に上ることがない欲望が存在しています。さらに、そうした欲望は私たちの言動に大きな影響を及ぼし、言い間違いだけでなく、時には神経症[*2]といった深刻な疾患まで引き起こすことさえあります。フロイトは、こうした病気を治すためには私たち自身が自分の欲望に気づく必要があると述べました。この作業こそが「**精神分析**」と呼ばれるプロセスです。

このように、精神分析は決して私たちの生活と無関係ではありません。むしろ、私たちが抱えている精神的な問題を解決するために、示唆に富む手がかりを与えてくれると言えるでしょう。この章では、私たちが無意識に持っている欲望とは何なのか、その欲望が文学作品にどのように関わっているのかについて、フロイトの考えを見ていきます。

赤ん坊の性欲？

エディプス・コンプレックス

「抑圧された欲望が無意識として存在している」という考えは、フロイト以前から多くの人々によって考えられていました。しかし、フロイトの理論がとりわけ私たちの注目に値するのは、彼が無意識が作られる原因を、幼児期における性欲に結びつけたことにあります。つまりフロイトによれば、私たちの無意識を形作る一番大きな要因とは、子供の時に持って

＊1　ジークムント・フロイト　オーストリアの神経学者(1856〜1939)。神経症理解の糸口をつくり、精神療法の確立に貢献し、精神力動論を展開することによって、精神医学に計り知れない寄与をした。同時に、精神医学の領域をこえて、社会科学、さらに現代思想にまで影響を及ぼした。

＊2　神経症　心理的な原因によって起こる心身の機能障害。不安神経症、強迫神経症、ヒステリーなど。

いた性的な欲望なのです。一見トンデモ説にも思える彼のこのような考えは、当時の20世紀初頭のヨーロッパ社会に大きな衝撃をもたらしました。というのも、当時のヨーロッパ社会では、思想家**ジャン=ジャック・ルソー**[*3]の代表作である**『エミール』**[*4]の影響を受けて、子供を善良で汚れのない、純粋無垢な存在と考えるのが一般的でした。しかし、フロイトによれば、子供は赤ん坊の時からすでに、一人前の性欲を持っているのです。ただし、性欲と言ってもそれは私たちが考えているような、いわゆるセックスへの欲望ではありません。というのも、大人は性器を使うことによって性欲を満たしますが、フロイトは人間は性器以外にも他の器官を使って性欲を満たすことも可能だと考えました。そのため、彼は性欲を快楽の一種と捉え、これをあえて「**リビドー**」と呼んで一般的な性欲と区別しています。

さまざまな方法で欲望を得る乳児

例えば、授乳という行為について考えてみましょう。生まれたての赤ん坊は、母親の乳房を吸うという「行為」によって栄養をもらいます。フロイトは、赤ん坊は乳房を吸っている時に、栄養を取っているだけでなく「快楽」をも口から得ていると主張しました。つまり、乳児は乳房を吸うことによって、大人がセックスで感じているような快感を得ているというのです。その根拠として彼が例に挙げたのが、赤ちゃんがよくする指しゃぶりでした。彼によれば、指しゃぶりとは赤ん坊が乳房を吸う時に感じた快感を忘れられず、自分の親指を吸うことによって同じような快感を得ようと努力している行為にほかなりません。フロイトは、口から快感を得ようとするこの時期を「**口唇期**（こうしんき）」と呼びました。

やがて乳児は、成長するにつれて母乳をもらえなくなり、今度は別の手段で同じような快感を得ようとします。その手段として、フロイトは排便という行為を挙げました。大便を出すときに感じる快感こそが、授乳に代わる新たな性的快楽となるのです。ここでは幼児は自分の肛門から快感を得るため、フロイトはこの時期を「**肛門期**」と呼んでいます。このような口唇期、肛門期というステージを経て、やっと幼児は自分の性器から快感を覚えるようになります。子供は男女の違い、つまりはペニスの有無に気づき、そこから性的好奇心が芽生え、自身の性欲がペニスに向かい始めるようになるのです。フロイトはこのステージを「**男根期**」と名付けました。

ここで、口唇期、肛門期、男根期のいずれにおいても、子供がただひたすら快感を求めていることに留意しましょう。実際、フロイトにとって子供とは、理性を持たない、快楽にとりつかれて泣き叫ぶ野蛮な動物にほかなりませんでした。フロイトはさらにもう一歩踏み込んで、幼児は母親と一体化して性欲を満たしたいと願うようになるとも述べています。言いかえるなら、いつも自分につきっきりで、自分に快楽をもたらしてくれる母親という人間に愛着を抱き、独り占めにしたいと願うあまり、その欲望を母親との一体化によって果たそうと願うようになるのです。

＊3　ジャン＝ジャック・ルソー　フランスの思想家(1712〜78)。当時の人工的退廃的社会を鋭く批判、感情の優位を強調し、ロマン主義の先駆をなした。思想、政治、教育、文学、音楽などの分野において根本的な価値転換作業を行い、近代思想に大きな影響を与えた。

＊4『エミール』　J.-J. ルソー、樋口謹一訳、白水社、1986年。原著は *Émile, ou De l'éducation*, 1762.

エディプス・コンプレックス

しかしここで、幼児のはちゃめちゃな本能にストップがかかります。その論理的なプロセスが、「**エディプス・コンプレックス**」と呼ばれるものです。ここではまず、男子がどのようにエディプス・コンプレックスを経験するのかについて考えてみましょう。母親を独占しようとする男の子は、母親には自分以外にもう1人の「愛人」がいることに気づきます。それは父親です。母親を奪われたくない男の子は、父親を自分のライバルとみなし、激しい敵意を抱くことになります。しかし、自分より数倍大きい父親に、無力な男児は勝ち目がありません。彼は、父親が自分よりケタ違いに強いことを知り、すぐに恐怖を感じ始めます。さらに追い打ちをかけるように、男児は女の子にはペニスがないことを知ってしまい、大きなショックを受けることになります。彼は、「なぜ女の子にはペニスがないのだろう？　これはあの怖い父親によってペニスを切り取られたのではないだろうか？」と妄想しはじめ、ついには「もし父親に逆らえば、自分もいずれあの父親によってペニスを切り取られるのではないか？」と考えて窮地に陥ってしまいます。

彼に残された道は1つしかありません。結局、彼は母親との一体化をあきらめ、父親に屈服し、いつの日か父親のようになって母親の愛を獲得しようと、男らしく振る舞おうとするのです。さらに、「ペニスの代わりに、もっとほかに素晴らしいものを父親にあげて許してもらおう」と考え、働くことに意義を見出すようになります。このようにフロイトは、エディプス・コンプレックスを通して、男児は母親への欲望をあきらめ、勤勉な労働者として社会への参入を学ぶようになると考えました。言いかえるなら、男児の暴走する性欲に歯止めをかけるのが父親の存在なのです。

しかし、母親をあきらめたからといって、男子は自身の欲望をどうしても捨て去ることはできません。とうとう、彼はこの欲望を意識しないように、無意識の中に抑圧することで解決を図ろうとします。こうして、父親によって禁じられた欲望が、彼の無意識を形成することになります。

その一方で、男児は父親の罰を恐れるあまり、積極的に父親の考えを取り入れ、自分のものとしようとします。やがて、彼が取り入れた父親の考えやルールは、子供の言動をコントロールする心の良心へと変わります。これをフロイトは「**超自我**」と呼びました。超自我は、子供が抱く欲望を常時監視しており、社会的に許されない欲望が意識に上ると、それをすぐに無意識の中に押し込む役割を果たしています。喩(たと)えて言うなら、フロイトにとって無意識とは、社会的に決して許されない欲望がたまっている、いわばドロドロのマグマの貯蔵庫と言えるでしょう。いつもは地下深く眠っているマグマですが、それがふとした拍子に地上に噴き出すことがあります。それが先に挙げた言い間違いといった事件に現れるのだと彼は指摘したのです。

女児がたどるエディプス・コンプレックスはより複雑

女の子のエディプス・コンプレックス

一方で、女の子が経験するエディプス・コンプレックスのプロセスはもっと複雑で難解です。フロイトは、女の子も男の子の場合と同様に、母親への欲望が生まれるはずだと考えました。しかし、女の子はそもそもペニスを持っていないのですから、「父親にペニスを切り取られる」という妄想は生まれないはずです。フロイトはその点に悩み、「女児は、母親を欲すると、父親によって母親のようなペニスがない存在にされてしまうという妄想を抱くはずだ」という、きわめて強引な仮説を立てました。さらに、そのような父親からの脅迫に苦しめられた結果、女の子は母親への欲望をあきらめ、逆に父親を愛するようになると彼は考えました。

ここで女の子がたどる道は大きく3つに分かれます。もし、ペニスがないことをありのままに受け入れるならば、ペニスがないことで劣等感を抱くようになってしまい、受動的で内気な性格になってしまいます。一方、「将来自分は必ずペニスをもらえるはずだ」と考え、自分が男であることを信じ続けると、男勝りな性格になるとフロイトは指摘しました。さらに、「いつか父親からペニスの代わりとなるものをもらおう」として父親を愛するようになる女の子は、将来父親のような男からペニスの代わりである赤ちゃんを欲するよう、性格が形成されるとフロイトは述べています。この場合は、女の子は再び母親の元に戻り、母親の役割を自分の役割として受け入れ、母親らしい母性的な女性へと変わっていくと言われています。いずれにしても、女の子は男の子と違い、ペニスを持っていないという事実を否が応でも受け入れなければなりません。実際、**ジョアン・リビエール**[*5]は、女性のみが持っている化粧という習慣をペニスの不在と関連づけました。彼女によれば、女性はペニスを持っていないことを隠そうとして、無意識のうちに外見を飾り立てようとします。つまり、化粧をしたり鮮やかな衣装を着たりすることは、隠ぺい行為にほかならず、女性の恥じらいとは、ペニスを持っていないことへの恥じらいを意味するのです。

多くの批判にさらされているエディプス・コンプレックス

エディプス・コンプレックスの問題点

さて、ここで注意しておきたいのは、エディプス・コンプレックスはフロイトが考えた理論の中心的な地位を占めているという点です。つまり、フロイトにとってエディプス・コンプレックスとは、私たちの無意識が生まれる、唯一の原因なのです。しかしながら、仮にこのフロイトの理論が正しいとすると、当然ながら理解しがたい点がいくつも出てきます。繰り返しになりますが、そもそもペニスを持たない女児に、父親からの脅しが果たして本当にあるのでしょうか？　ペニスがないということは、逆に母親と同じように自分が父親に愛されることを可能にする条件であるように思えます。また、もしこの理論が正しいとすれば、女の子は自分が愛する対象を、それまでの母親から父親へと強制的に移し替えなければなりません。つまり、男の子がずっと母親を愛するという異性愛を持っているだけで良いのに対して、女の子の場合は母親に対する同性愛を父親に対する異性愛へと変えなければならず、これではとても複雑で分かりづらい理論になっています。フロイトはこうした問題に頭を悩

＊5　ジョアン・リビエール　イギリスの精神分析医(1883〜1962)。フロイトの理論をイギリスへ紹介した一方、女性の性について自らも精神分析の観点から多くの評論を残した。

エディプス・コンプレックスは日本人に適用できない?

ませ、女の子におけるエディプス・コンプレックスを「**暗黒大陸**」と呼び、詳しい分析はおざなりにしてきました。

このような背景から、フロイトの批判者は、女性に対するエディプス・コンプレックス理論は非論理的であり、理論として破綻(はたん)していると指摘しています。実際、フロイトが作り出したエディプス・コンプレックスという理論自体、多くの批判を生んできました。中でも**カール・ポパー**[*6]は、精神分析をエセ科学以外の何物でもないと痛烈に批判しています。ポパーによれば、エディプス・コンプレックスはいかなる実験によってもその正しさを証明できない、ただの空想でしかありません[*7]。「この世は宇宙人によって支配されている」という考えが立証できないように、精神分析もすべての人間の言動を、エディプス・コンプレックスという妄想で解釈しようとしているインチキであるとポパーは主張したのです。

また、エディプス・コンプレックスは西欧文化の産物であり、他の文化圏に適用することはできないと考える人もいます。実際、フロイトの精神分析がヨーロッパで広く受け入れられたのは、エディプス・コンプレックス理論が当時社会問題となっていた神経症の原因を説明できたことにありました。20世紀初頭のヨーロッパでは、実際に病気でもないのに手や足が麻痺したり、無意味だと頭では分かっているのに、手を洗うなどの動作を繰り返し行ってしまう症例が数多く発生していたのです。フロイトはこうした神経症を、性的欲望が極度に抑圧されたゆえに起こる病気であると考え、「性的願望」こそが私たちの考えを支配する原理であると推測し、エディプス・コンプレックス理論を提唱するに至りました。事実、当時のヨーロッパ社会は性に関するタブーが今とは違って考えられないほど厳しく、とりわけ女性が性について語ることは不道徳であると見なされ、性にまつわる話題は一切口に出すことが許されなかったのです。フロイトは当時多くの患者たちを精神分析によって治療することに成功し、結果として精神分析は西欧の医学界から正しい理論とみなされました。しかし、現代の日本社会は、フロイトが生きていた社会とまったくかけ離れています。フロイトが生きていた時代は、父親が家庭内で大きな権限を持ち、家族の支配者として君臨していました。一方、現代の日本において父親の存在は希薄です。父親は毎日夜遅くまで働き、子供に接する機会がほとんどなく、まさに現代社会は「父親不在の社会」と言えるでしょう。さらに、日本社会の道徳観も大きく変化しました。21世紀においては、もはや性について話すことはタブーでもなんでもありません。性的抑圧をベースとするフロイトの精神分析は、すでに時代遅れだと考える人がいることにもうなずけます。

＊6　カール・ポパー　オーストリア生まれのイギリスの哲学者（1902〜94）。反証可能性による理論の有効性テストを支持する立場をとり、20世紀の科学哲学の分野に大きな影響を与えるとともに、社会哲学の分野でも大きな影響力をもった。主著『科学的発見の論理』（大内義一・森博訳、恒星社厚生閣、1971年）ほか。

＊7　K. ポパー『果てしなき探求』森博訳、岩波書店、2004年、第8章。

文学作品にひそむエディプス・コンプレックス

精神分析批評と文学作品

フロイトの理論は大いに議論の余地がありますが、私たちの社会、分けても文学の世界に計り知れない影響を与えたことは否定できません。今日に至るまで、数多くの文学者が彼の理論をさまざまな形で応用することで、文学作品を解釈してきました。そもそもエディプス・コンプレックスという言葉自体、ギリシャ神話の**『オイディプス王』**[*8]からフロイトが借用した言葉であり、彼自身も文学作品こそが自分の理論を裏付けていると考えました。実際、彼の70歳の誕生日を祝う記念パーティーの席上、「無意識の創立者」と司会者から紹介されたフロイトはそれを否定し、無意識を発見したのは過去の作家たちであると述べています。そして、エディプス・コンプレックス理論がすでに18世紀の作家である**ドゥニ・ディドロ**[*9]の作品に描かれていると繰り返し主張しています。[*10]現にディドロの小説**『ラモーの甥』**[*11]には、「もし野蛮人の子供が何のしつけも受けずに育ったら、その子供は父を殺し、母とセックスするであろう」という、エディプス・コンプレックスを描写するような一節が書かれています。

エディプス・コンプレックスを使った文学研究の対象となった作品には、シェイクスピアの**『ハムレット』**や**アルベール・カミュ**の**『異邦人』**などが挙げられます。[*12]例えばフロイトは主人公ハムレットが叔父への憎悪を募らせる過程をエディプス・コンプレックスを使って解釈していますし、批評家の**アラン・コステス**は、『異邦人』において主人公ムルソーが自身の処刑に際してみせた喜びを、彼が死後に母親との一体化を望んでいたからという解釈から分析しました。このように、精神分析による文学批評は数多く存在します。

精神分析批評の実例――『帰郷』

その一例として、M・W・ロウによるハロルド・ピンター[*13]の『帰郷』の精神分析批評を見てみましょう。[*14]『帰郷』は全2幕で構成されている戯曲で、1965年にオールドウィッチ劇場でロイヤル・シェイクスピア劇団によって初演されました。物語は、アメリカで哲学教授として成功した長男が、妻と共にロンドンの下町に里帰りするところから始まります。実家には父と成人した弟2人が住んでいて、母親はすでに亡くなっています。長男に付き添って帰ってきた妻を見て、父と弟たちは突飛な考えを持ち出します。それはなんと、長男の妻をロンドンに残し、娼婦として働かせるというものでした。しかし、意外にも長男はこのアイデアを受け入れ、妻の方も自分が一家の主となるという条件でこれを承諾します。きわめて理解しがたいストーリーですが、ロウによると、これは精神分析によって解釈できます。

一般的に、子供は思春期に入ると母親に反抗し、母親を特別視することをやめて、母親以外の女性をパートナーに選ぼうとします。一方で、『帰郷』に登場する息子たちは、母親を早くに亡くしている故に、母親のイメージを過度に美化していました。したがって、彼らは大

*8 『オイディプス王』 ソフォクレス作の悲劇。テーバイのオイディプス王が、父を殺して母を妻とするという神託の予言が知らぬ間に実現しているという恐るべき真実を発見していく過程を、見事に描いた作品。

*9 ドゥニ・ディドロ フランスの作家(1713〜84)。小説、戯曲を書き、芸術論にもすぐれた業績を残した。著者に『ダランベールの夢』など。

*10 パメラ・タイテル『ラカンと文学批評』市村卓彦・萩本芳信訳、せりか書房、1987年、61ページ。

*11 『ラモーの甥』 本田喜代治・平岡昇訳、岩波書店、1964年。原著は *Le Neveu de Rameau,* 1762(執筆)/1823(刊行).

*12 『異邦人』の精神分析批評は最終章で扱う。

*13 ハロルド・ピンター イギリスの劇作家(1930〜2008)。初の戯曲『部屋』で注目される。『バースデー・パーティ』や『管理人』など、日常のありふれた会話にひそむ危機を浮き彫りにし、閉ざされた空間に外界からの脅威が迫る様子を恐怖感と滑稽感を漂わせて描いた作品によって有名である。

*14 Rowe, M. W., "Pinter's

人になってからも母親を慕い続け、母親似の女性を追い求めるようになります。しかしながら、そうした女性とセックスすることは、当然近親相姦というタブーを犯していることにもなってしまい、精神面で困難がともないます。ロウによれば、そのような場合、ジレンマから脱出するために、娼婦のような軽蔑される女性をセックスの対象として選ぶケースがあります。というのも、娼婦という堕落したイメージは、彼らが神聖視している母親のイメージとまったく異なるものだからです。こうした観点に立てば、売春のアイデアを長男が受け入れるのは、むしろ彼にとっては好都合であったと言えるでしょう。実際、もし自分の妻が娼婦になれば、彼女は母親とはまったく似ていない存在へと変貌するため、彼女と性的な関係を結べることになります。このように、精神分析批評は、物語の内容を、人々が持つ無意識の欲望という見地から説明することが可能です。

つまるところ、フロイトにとって文学とは、普段は抑圧されて決して見ることのできない無意識を映し出す、CT画像のようなものであったと言えるかもしれません。彼は**『トーテムとタブー』**[*15]の中で、文学を「文化的に許されない欲望を描くことから来る快楽」と関連づけました。もちろん、作家自身も無意識の欲望を生のまま書き出すことはできません。無意識の欲望を書き表そうとするなら、すぐに心の中にある超自我が出てきて、道徳的観点からそれを抑圧してしまうでしょう。したがって、私たちが書く文学作品は、フロイトによれば超自我による監視をうまくかいくぐって完成した作品です。そのため、作者の欲望は作品の中にあからさまに現れるのではなく、色んな形に姿を変えたイメージとして私たちの文学作品に現れると彼は考えました。例えば、母親を殺したいという欲望が作者の無意識にあった場合、それが文学で直接描かれることはありません。むしろ、交通事故などの不慮の事故で亡くなったような、間接的な表現で描かれることが多いと言えます。

『桃太郎』は物語として短すぎる

エディプス・コンプレックスと『桃太郎』

それでは、『桃太郎』においてエディプス・コンプレックスの痕跡は残されているでしょうか。残念ながら、『桃太郎』という物語をエディプス・コンプレックスと関連づけようとする試みには限界があると言えます。1つ目の理由として、この物語があまりにも短いストーリーであるということが挙げられるでしょう。本来、精神分析による文学作品の解釈は、作品に見られる「異常性」、もしくは「言い間違い」を探すことから始まります。例えば、ある作品において、何らかの事件や行為が過度に繰り返されたり強調されたりして描かれることがあります。もしくは逆に、ある事件に関する説明が故意に省かれて描写されていることもあります。精神分析では、このような作品に残された不自然な語りにこそ、語り手

Freudian Homecoming." Essays in Criticism, Volume XLI, Issue 3, July 1991, 189–207.

＊15 『トーテムとタブー』 S. フロイト『フロイト全集 12』吉岡永美訳、岩波書店、2009 年、所収。

の無意識の欲望が現れていると考えるのです。この点を踏まえるならば、『桃太郎』という、きわめて短い昔話にそうした語り手の痕跡を見つけることは難しいと言えるでしょう。

2つ目の理由として、語り手の問題があります。**ジェラール・ジュネット**[*16]は**『物語のディスクール』**[*17]で、文学作品における語り手の重要性を指摘しました。物語というのは基本的に語り手なくしては成立しません。例えば、夏目漱石の『こころ』は、主人公である「私」が先生との交流について語った物語です。芥川龍之介の『羅生門』の語り手は、名前こそ明らかにはなっていませんが、「センチメンタリズム」というフランス語が文中に出てくることから、フランス語を理解できるインテリであることは間違いないでしょう。実際、いかなる文学作品も語り手の視点から描かれており、何が意図的に書かれており何が意図的に隠されているのかは、すべてこの語り手によって決められています。この点を踏まえるならば、語り手の無意識の欲望こそが作品の中に現れていると言えます。したがって、精神分析に基づいて文学作品を鑑賞する場合、私たちはその作品における語り手、つまり誰が物語を語っているのかをまず特定しなければなりません。

一方で、『桃太郎』はどうかと考えますと、昔話という性質上、そもそも最初の語り手とは誰なのかを知ることは不可能です。ほとんどの昔話は、普通「むかしむかし」に始まり、「幸せに暮らしましたトサ」で終わる、伝承の形で書かれています。つまり、『桃太郎』とは、語り手が以前に別の語り手から物語を聞き、その語り手もかつては別の語り手から物語を聞いていた、いわばマトリョーシカ人形のような重層的なストーリーということになります。したがって、『桃太郎』における、真の語り手を探すことは今の私たちにはできません。こ

語り手が不在の『桃太郎』

うした語り手不在の形式は、『桃太郎』における「語り手の無意識」を考えることを困難にしていると言えます。

『桃太郎』——エディプス・コンプレックスを子克服する物語

それゆえ、ここでは『桃太郎』の内容のみに対象を絞って、エディプス・コンプレックスの理論を応用し、『桃太郎』のストーリーをどのように解釈できるか考えてみましょう。物語では、桃太郎は鬼を倒すことで村の人から英雄視されることになりました。それまでは、ただの小さな男の子にすぎなかったのに、鬼を倒すことで社会から認められる存在となったのです。このプロセスはちょうど、エディプス・コンプレックスに直面した子供が、父親らしくなることによって、母親の愛情を取り戻そうとする努力と同じような意味を持っていると理解することができます。主人公桃太郎は、社会が要求する勇ましい男らしさを身につけることで、エディプス・コンプレックスを克服した典型的な人物と言えるでしょう。

しかし一方で、鬼という存在を比喩的にとらえることもできます。鬼という言葉の語源については諸説ありますが、その1つとして挙げられているのが「鬼＝巨人説」です。古代の日本では「オ」は大きいという意味を持ち、「オニ」とは山に住む異形の巨人を指す言葉

*16　**ジェラール・ジュネット**　フランスの批評家(1930〜2018)。記号学や言語学の分析方法を援用し、構造主義批評の代表者の1人となった。主著に『フィギュール』などがある。

*17　**『物語のディスクール』**　G. ジュネット、花輪光・和泉涼一訳、風の薔薇、1985年。

であったと言われています。そこから鬼というイメージを、子供が父親に対して持つ恐怖や敵意としてとらえることもできそうです。つまり、『桃太郎』とは、少年が父親を乗り越える物語である、と。先に述べたように、子供はエディプス・コンプレックスにおいて、母親をあきらめ、父親の権威に屈します。それは、父親から与えられた道徳観や文化的価値観を受け入れるという意味にもなります。そうした価値観を受け継ぐことで、子供は社会に適応していくことができると言ってもいいでしょう。しかし、そうした慣習や価値観は、もともと子供が父親から強制的に押し付けられたものであり、子供は成長するにしたがってそれまでの生き方に疑問を持つようになります。これが俗に言う反抗期の始まりです。子供は父親に課せられた掟に抗うことによって、新しい人生観を見つけようとします。このプロセスを経験することによって、子供は精神的に両親から独立し、自分なりの人生観や倫理観を見出していきます。この観点に立てば、『桃太郎』は桃太郎が両親から自立するために、鬼に仮託した父親を倒すドラマであるとも考えられるかもしれません。

フロイトの精神分析を発展させたラカン

ラカン派の精神分析

フロイトが作り上げたエディプス・コンプレックスの理論をさらに深く掘り下げた人がいました。フランスの精神分析家**ジャック・ラカン**[*18]です。ラカンは、エディプス・コンプレックスがどのように子供の無意識を作り上げるのか、その過程に注目し、新たに「**享楽**」「**想像界**」「**象徴界**」といった概念を導入しています。

まず彼によれば、幼児の愛情はフロイトの言う通り最初は母親へと向かいます。幼児は母親との一体化を欲すると同時に、母親が自分を欲してくれることを願ってやみません。言いかえれば、生後間もない幼児にとって、母親がつきっきりで愛情を注いでくれる状況は、幼児の中にある母親のイメージと現実の母親が統一された、至福の境地なのです。この時、幼児はまだ「欲望」という概念すら持っていません。というのも、幼児には必要な物すべてが母親によって与えられているのですから、精神的にも物質的にもなんら不足していないのです。また、幼児には言葉すら必要ありません。なぜなら、言葉を使って自分の欲望を表明せずとも、母親が彼のすべてを満たしてくれるからです。こうした幼児の初期における至福の状態をラカンは「享楽」と呼びました。さらに、この時期に幼児が持つイメージと現実が同一化されている世界の

＊18　ジャック・ラカン
フランスの精神分析学者(1901〜81)。フロイトの業績をソシュールの構造言語学に結びつけることによって、精神分析学に新しい思想的境地を開いた。論文集に『エクリ』がある。

ジャック・ラカン　photo: Giancarlo BOTTI / gettyimages

ことを「想像界」と名付けています。

想像界——幼児にとっての至福の世界

しかし、この至福の時間は長くは続きません。というのも、母親には家事や仕事があるので、いつも子供にかかりきりになることはできないからです。結果として、母親は時々幼児の前から姿を消し、しばらくするとまた幼児のもとに戻ってくるというサイクルを繰り返すことになります。幼児は、母親が自分から離れてどこかに行ってしまうという事実に直面することにより、はじめて「僕は母親を欲す」という願望が生まれてくることになります。物のありがたみは失われてから初めて気づくように、幼児はいわば母親の不在を経験することで自分の中に母親への欲望を生み出すことになったと言えるでしょう。ラカンによれば、これこそ我々が最初に抱く欲望なのです。つづいて、幼児はすぐさま自分なりに母親の不在の理由を解釈します。「母親がどこか別のところに行くのは、そこに彼女の欲するあるものがあるからだ」、そう理解する幼児は、自分にとって決して知り得ない欲望が母親の心の中にあるのだと考えるようになります。「母親は何かを欲している、しかし僕にはそれが一体何であるか分からない」、こう考えて悩む幼児は必死に母親の欲望の対象を探し出そうとします。そうして見出す答えが、母親が持っていないもの、すなわちペニスなのです。

ファルス——幼児が考えた母親の抱く欲望

ただし、ラカンによれば、このペニスはあくまでも象徴的役割を担っているにすぎません。幼児が考える「ペニス＝母親の欲望」説は、母親の欲望が何なのかを見つけ出そうとして自らが勝手に考え出した妄想でしかないのです。言いかえれば、ペニスとは幼児にとっては母親の欲望のシンボル的役割を果たしている言葉であり、文字通りの生殖器である必要はありません。ラカンは幼児が抱くこの「ペニス＝母親の欲望」という概念を**ファルス**[*19]と呼びました。

＊19　**ファルス**　ギリシャ語でペニス、もしくは男性器官を象っているものを表した言葉。

さて、ラカンによればそもそも幼児の欲望とは、母親から愛され、母親と一体化することでした。そのためには、自分自身が母親から求められる存在とならなければなりません。言いかえれば、幼児の最終目標とは、自分が母親のファルスとなり、母親の欲する存在になることです。ここで、幼児のまなざしはそれまでの「母親を欲す」という欲望から、「ファルスを欲す」という、母親が抱いているべき欲望へとすり替わります。すなわち、幼児は母親の抱く欲望を自らの欲望と同化させるのです。しかし、前にも述べたようにファルスとは、結局のところ幼児が作り上げた幻の対象にすぎません。したがって、幼児はどうすれば自分が母親の欲望を満たせられるのかが分からず、不安に陥ってしまいます。さらに、幼児は母親と接していくなかで、母親が欲しいのは自分ではなく父親であることに気づきます。「母親の欲望は、自分にではなく父親という他人に向けられている」——これは幼児にとって、計り知れないショックと言えるでしょう。それまで、幼児は母親が欲するのは自分であると思い込んでいました。しかし実際のところ、母親は他のもの（父親）を欲しているのです。

この、「母親が他のものを欲している」という状況を、ラカンは母親が「**他者への欲望**」

を持っていると表現しました。母親が「他者への欲望」を持っていることは、幼児にとっては自分の存在理由が否定されたことを意味します。彼はもはや母親が欲望する対象ではあり得ないことを自覚すると言っても良いでしょう。したがって幼児は、今度は母親が欲する対象である父親に目を向けます。「あの父親のようになることができれば、自分はもう一度母親の愛を取り戻すことができるはずだ」、そう幼児は確信し、父親のようになろうと決意します。その時、幼児は現実が決して自分のイメージ通りではなく、父親という名の規則や秩序があることに気づきます。こうして、幼児は母親が持つ「他者の欲望」を自分自身に向けさせるため、父親のしつけ、すなわち社会の規則を受け入れて、「立派な大人」へと成長していくことになります。規則というのは言葉によって与えられるものですから、幼児は言葉を学ぶことによって規則を受け入れていくと言っても良いでしょう。ラカンは、この父親という存在や言葉、守らなくてはならない規則に縛られた世界を「象徴界」と呼びました。つまり、ラカンにとってエディプス・コンプレックスとは、幼児が想像界から象徴界へとジャンプするためのプロセスなのです。

ラカン的精神分析批評の実例

こうしたラカンの精神分析を応用した文学批評の例としては、**デイヴィッド・コリンズ**による**『怪物と肉体的なもの――メアリー・シェリーのイデオロギー批評』**（未邦訳）が挙げられます。[*20] **『フランケンシュタイン』**[*21] は19世紀の作家**メアリー・シェリー**[*22]が著したSF小説です。主人公である科学者のフランケンシュタイン（「フランケンシュタイン」とは怪物の名前ではありません。怪物を造った科学者の名前なのです）は、人造人間を作ろうと試みますが、できあがったのは醜悪な怪物でした。フランケンシュタインは怪物を処分しようとしますが、それに怒った怪物によって、彼の肉親が次々に惨殺されていくという恐ろしい物語です。コリンズは、主人公が人造人間を試みるという行為を、亡くなった母親を追い求める行為と捉えました。彼によれば、少年時代に母親を亡くした主人公は、想像界において経験していた、母親との一体化という享楽をどうしてもあきらめることができません。その喪失感は、彼のガールフレンドであるエリザベスによっても満たすことができず、結局主人公は、人造人間の実験によって母親の肉体を復元させようとするのです。この点の裏付けとして、コリンズはフランケンシュタインが怪物を創造した後に見た夢について分析しています。夢のなかで主人公はエリザベスを抱擁しますが、それは途端に腐敗した母親の死体へと変貌します。驚いてベッドから起き上がると、怪物が窓から彼を見つめていたのです。コリンズはこの場面が、主人公にとってエリザベスが母親の代用であり、怪物も母親の肉体の代わりとして作られていたという事実を間接的に示していると指摘し、主人公の動機をラカンの精神分析から考察しました。

＊20 Collings, David. *"The Monster and the Maternal Thing: Mary Shelly's Critique of Ideology."* (Joanna M. Smith, ed. "Frankenstein." Case Studies in Contemporary Criticism series. Bedford/St. Martin's Press, 2nd edition, 280-295 ページに所収)。概要の邦訳は、廣野由美子『批評理論入門「フランケンシュタイン」解剖講義』2014 年、中央公論新社、166〜168 ページ。

＊21 『フランケンシュタイン』 M. シェリー、芹澤恵訳、新潮社、2015 年。原著は *Frankenstein: or The Modern Prometheus*, 1818（初版）.

＊22 メアリー・シェリー イギリスの作家（1797〜1851)。女権拡張論者として有名なメアリー・ウルストンクラフトの娘。恐怖小説『フランケンシュタイン』は、1931 年のボリス・カーロフ主演の映画以来、たびたび映画化された。

文学の誕生は、幼少期の記憶と関係がある？

すべての小説の根源は子供の空想にある

永遠に失われた子供時代

さて、幼児にとっては、母親が求めている「他者の欲望」が果たして具体的に何を指していたのかは永遠に分かりません。そもそも、「他者の欲望」とは幼児が勝手に作り出した妄想であり、実在しないものです。したがって、自分が果たして母親が欲望する対象になり得たのか、幼児は一向に分からないまま生きていくことになります。ラカンはこの宿命的とも言える幼少期の不安と欲望のスパイラルをすでにフロイトの著作**『夢判断』**[*23]から見出していました。フロイトはこの本において、幼少期の記憶が私たちに存在しないことをフィクション（空想）の誕生と結びつけています。私たちは誰しも、自分が生まれた時の記憶を持っていません。たとえ、自分が生まれた時の写真を見せられ、「ほら、あなたが生まれたときはこんなに小さかったんだよ」などと親から言われても、「そういえば、そんな記憶があったなぁ」と思い出すことは普通あり得ません。言いかえれば、今ここに存在している「私」と、かつて赤ちゃんであった「私」とのつながりは永久に途絶えていると言えます。私たちは永遠に、子供時代の記憶を手に入れることができません。子供時代の喪失は、「存在理由を知り得ないことへの不安」と、「それを知りたいという欲望」を無意識のうちに生み出すことになります。言いかえれば、人々は自らの存在理由を考えようとして、様々な空想をめぐらすことになるのです。

幼少期の記憶の喪失は、「文学とは何か」というテーマについて、1つのヒントを与えてくれます。実際、**マルト・ロベール**[*24]は、文学作品がこうした「子供時代の記憶の欠如」により起こる不安から生まれると『起源の小説と小説の起源』[*25]において述べました。この中で彼は、フロイトが発想した「**ファミリー・ロマンス**（**家族小説**）」の理論に注目しています。ファミリー・ロマンスとは、エディプス・コンプレックスを経験した子供が抱く妄想です。ロベールによれば、父親によって母親の愛を奪われたように感じた子供は、そのショックから今の親はニセモノで、自分には別に本当の親がいるのだというストーリーを考え出すと推測しました。テレビアニメ『**ドラえもん**』で、母親にこっぴどく叱られたのび太がよく、「あんなのは本当の親じゃない。自分は本当はもらい子なのだ」と言いはりますが、それとよく似ていると言えるでしょう。このように、自分には別の家族がいるのではないか、という妄想は、先ほど述べた存在理由の欠如と密接に関連しています。「私は自分の始まりを知ることができない。しかし私はそれを知りたい」という無意識の欲望が、このようなストーリーを作り上げていると言えるでしょう。ロベールは、こうした子供の白昼夢を「**沈黙の文学作品**」と呼び、自分自身に語りかけるために作られた最初の小説であると考えました。つまり、私たちが頭の中で作り出した最初の文学作品のテーマとは、家族ということになります。

＊23 『夢判断』 S. フロイト、高橋義孝・菊盛英夫訳、日本教文社、1969年。

＊24 マルト・ロベール フランスの批評家（1914～96）。フロイトの影響を受けて、多くの精神分析批評を行った。1995年にフランス文学大賞を受賞している。

＊25 『起源の小説と小説の起源』 M. ロベール、岩崎力・西永良成訳、河出書房新社、1975年。

家族というテーマはどのジャンルの小説にも共通している

さらにロベールは、大人になって書かれたすべての文学作品は、この幼少期の妄想が移しかえられたものであり、すべての文学作品の根底には家族というテーマが潜んでいると述べました。言いかえれば、文学作品は私たちが子供のときに作り上げた、妄想の様々なバリエーションなのです。最近では「小説家になろう」や「カクヨム」といったウェブサイトで数多くの一般人が多種多様な小説を書いていますが、ロベールに言わせればこれはすべてファミリー・ロマンスの派生ということになります。したがって、**吉川英治**[*26]の歴史小説にしろ、**松本清張**[*27]の推理小説にしろ、有川浩（現・有川ひろ）のラブコメ小説にしろ、すべての小説は作家が子供時代に夢見た妄想が元になっていることになり、どのジャンルの小説においても語られているテーマは家族ということになります。

ロベールはこの家族小説をさらに綿密に分析し、大きく2つのタイプに分けました。1つ目は、自分が王様や貴族の捨て子であると妄想するタイプ、そして2つ目は、自分が母親の不倫関係から生まれ、父親から見捨てられていると考えるタイプです。ロベールによれば、前者の妄想をする子供は、いつか自分は王の子として認められるはずだ、という「もう1人の自分」を考えつづけ、それが理想を追い求める**ロマン主義文学**を生むとされています。一方、後者の妄想をする子供は、自分を生んだ母親のような情婦を利用して野心を満たそうとするようになり、残酷な現実を追求する**リアリズム文学**が生まれます。この仮説に基づけば、文学とはそれぞれの作家が幼児期に考えていた、もしくは望んでいたものを読者に伝える媒介であると言えるでしょう。

『桃太郎』＝ファミリー・ロマンス？

それでは、『桃太郎』にこのロベールの理論を当てはめてみることはできるでしょうか。例えば主人公の桃太郎は、おじいさんとおばあさんに育てられましたが、彼らは本当の親ではありません。桃太郎は、ドンブラコ、ドンブラコと川から流れてきた桃から生まれたことになっています。この構造は、すでにフロイトの家族小説の形式と極めてよく似ていると言って良いでしょう。また、桃太郎の出生について考えると、桃から生まれるという設定も注目に値します。古来、日本では桃は人間に長寿をもたらし、悪霊を追いはらう神秘的な薬とみなされてきました。**『古事記』**では男神イザナギが黄泉（よみ）の国から逃げる際、桃の実を3つ投げて悪霊を退散させたと述べられています。

一方、**柳田國男（やなぎたくにお）**[*28]は川から流れてきたという『桃太郎』の記述を、『古事記』における**スクナビコナ伝説**に関連づけていました。[*29]『古事記』によればオオクニヌシ（大国主）が日本を造ろうとした際、海から船に乗ってきて手助けに来たのが神の子スクナビコナです。柳田國男

＊26　吉川英治　小説家（1892〜1962）。伝奇小説の定型を踏まえた娯楽小説を書き継いだが、次第に求道的態度を強め、『宮本武蔵』で1つの完成を示した。また、『新・平家物語』『私本太平記』など、時代の流れに生きる人間群像を広く追求して国民文学の第一人者となった。

＊27　松本清張　小説家（1909〜92）。『或る「小倉日記」伝』が芥川賞を受けて文壇デビュー。『張込み』『顔』など推理小説に手を染め、『点と線』『眼の壁』の成功によって社会派推理小説ブームの推進者となった。

＊28　柳田國男　日本における民俗学の先駆者（1875〜1962）。晩年まで民俗学の研究に従事。著書はきわめて多く、『定本柳田國男全集』全31巻、別巻5巻に集大成されている。

＊29　柳田國男『柳田國男全集6』筑摩書房、1998年、257ページ。

『桃太郎』は日本最古の小説？

は『桃太郎』を、こうした日本神話が形を変えて生き残った姿として読みました。実際、日本では西暦5世紀ごろまで、イザナギとイザナミの神話をベースにした固有の宗教、いわゆる古神道があったと言われています。しかしその後、西暦6世紀には新しい宗教である仏教が伝来し、聖徳太子の時代には国家宗教となりました。その結果、それまで崇められていた土着の神々の権威は失墜し、彼らの存在が昔話として生き残った、という仮説があります。この観点から『桃太郎』を考えると、川から流れてきた桃太郎は、古い日本の神が零落した姿と見ることも可能と言えるかもしれません。すると『桃太郎』は**貴種流離譚**（高貴な生まれの子が、不幸な境遇に置かれながらも頑張って成功するストーリー）の一種と考えられ、まさにロベールの提唱する、ロマン主義の系譜に沿った物語であるとみなせます。また、『桃太郎』をフロイトが強調する幼年時代の記憶の喪失と関連づけることもできるでしょう。すなわち、私たちは自分の出生の始まりを知り得ないために、空想をめぐらせることによって答えを見つけようとしているのかもしれません。例えば、『桃太郎』における、川から運ばれてきたという設定は、私たち日本人が日本人なりに、自らの始まりを事後的（物事が起こった後）に作り出そうと試みた結果と推測することも可能でしょう。私たちは、自身の始まりをさかのぼって体験することができません。それゆえに、「私たちは、どこか別のところから海を渡って来たのかもしれない」という妄想が生まれ、それが『桃太郎』というストーリーを生んだとは考えられないでしょうか。

精神分析と文学理論

今日、フロイトの精神分析は他のさまざまな文学理論に決定的な影響を及ぼした理論として評価されています。それまで文学批評といえば、作者が何を言おうとしていたのかを論じるのが一般的でした。しかしながら、これまで見てきたように、フロイトの理論はこうした考えを完全に葬り去ってしまいました。もはや、作者の意識というものは批評の焦点とはなり得なくなったのです。むしろ、作者自身さえも気づいていない、差別意識やイデオロギーを作品の中から明るみに出す研究こそが主流となりました。フロイトの精神分析によって、文学理論はその後、驚異的な発展を遂げることになります。実際、作品の深層にある無意識を暴き出す手法は、ポストコロニアル批評やフェミニズム批評の下地となり、ポストコロニアリズムやフェミニズムの批評家の多くが精神分析の手法を借用しながら、新味を加えた論文を発表してきました。このように精神分析批評は、文学理論にはなくてはならない重要な理論の１つとなっています。

コラム 快楽の原則

フロイトの理論を支えるもう1つの考えが、「**快楽の原則**」と呼ばれるものです。フロイトは、人間が欲する理想の生活を今でいうニート的な生活と捉えました。彼によれば、人間が夢見る究極のライフスタイルとは、何もしないでぶらぶらできる、正月の食っちゃ寝生活のような人生です。このように、人間の行動はすべて快楽の追求に従って決められているというフロイトの考えを「快楽の原則」と呼びます。しかし、残念ながら現代の私たちはフロイトが理想とするライフスタイルをおくっていません。むしろ、毎日長時間にわたる労働や勉学に追い立てられているのが現状です。フロイトに言わせれば、私たちは生きるためにあくせく働きながら一向に快楽を味わえず、欲求不満におちいっています。いつかはこうした社畜生活から自分が解放されることを信じながらも、自分で自分の欲望を抑圧しているのです。当然ながら、そうしたストレスに耐えられない人々が出てきます。仕事や学校に行くことを拒否したり、うつ状態になったりしてしまうのです。フロイトにとって、欲望を抑圧し続ける現代社会は、こうした様々な問題を生み出す根源そのものでした。

しかし一方で、フロイトは欲望を抑圧するストレス社会が、新しい文学作品を生み出す場となっていることにも注目しています。人間は、欲望が抑えきれなくなると、その負のエネルギーを別の対象へ向けることによって満たそうとします。これが創作活動へとつながっていくとフロイトは推測しました。例えば、満たされない恋愛感情を抱いた時、その

*30　チート系　主人公が明らかに突出しすぎた、超人的能力をもつ設定になっていること。

*31　ハーレム系　男性の主人公1人に対し、多くの女性キャラクターが恋愛対象として対置されている設定のこと。

やるせない思いを小説や詩といった文学的活動へと向けることによって満たすことができます。その結果、様々な文学作品がこの世に誕生することになるのです。実際、満たされない恥ずかしい欲望を、想像の中で満たそうとする人間が作家になるとフロイトは考えていました。その証拠として、彼はほとんどの小説で主人公はいつもあらゆる苦難を生き延びること、また常に主人公に恋をするヒロインが登場することを挙げています。そう考えると、最近のネット小説のほとんどが、「**チート系**[*30]」「**ハーレム系**[*31]」であることもうなずけます。ネットに投稿している作家にとって、作品とは現実では決して満たされることがない願望を公式の場に出すことができる唯一の手段なのかもしれません。

第6章

『桃太郎』は政治小説だった？

――マルクス主義批評

世界における貧富の差はますます拡大している

私たちとマルクス主義

２００１年、**『世界がもし１００人の村だったら』**というチェーンメールが人気を集めました。このチェーンメールは、世界の人口を１００人の村に縮小して、地球の現状を分かりやすく説明したものです。この中で特に注目を浴びたのが、「たった６人が、世界の富の６割を持っている」という一節でした。たった６％の人口が世界の半分以上の富を所有しているというこのメールは、当時多くの人々に深刻な経済格差について意識させるきっかけとなったのです。あれから20年近くたった今日においても、貧富の差は解決されていません。２０１７年に国際ＮＧＯ組織**「オックスファム」**は、「世界で最も裕福な8人の総資産が、世界の貧しい36億人分の総資産と同じ」であるという衝撃的な報告を発表しました。[*1] 36億人といえば、世界人口の約半分です。オックスファムの発表は、資本主義社会の構造がいかに多くの貧しい人々をないがしろにしているかという現実を突きつけるものとなりました。

私たちが生きる日本社会も例外ではありません。とりわけ最近では、母子家庭や父子家庭などの「ひとり親家庭」が増え続けており、10世帯に1世帯はひとり親世帯であると言われています。こうしたひとり親家庭の相対的貧困率は54％と、２０１８年のＯＥＣＤ加盟国の中で最も高い数値に達しました。[*2] 世界の先進国と言われている日本においても、社会的弱者が貧困にあえいでいる現状があるのです。さらに日本では、ワーキングプアとよばれる人々が、日々苦しい生活を強いられているというニュースも話題になりました。ワーキングプアとは、回し車の中をひたすら走るハムスターのように、いくら働いても貧困から抜け出せない人々のことを指します。彼らの中には、過度のストレスによるプレッシャーに打ちのめされ、うつ病や精神障害を患っている人も少なくありません。２０１２年には、こうしたワーキングプアの人口が全世帯の10％を占め、日本人の実に10人に１人がギリギリの生活を送っている事実が明らかになりました。

貧困と不平等を解決しようとしたマルクス主義

一体なぜ貧富の差が生まれるのでしょうか？　どうすれば私たちは貧困のない社会を作れるのでしょうか？　こうした疑問に答えるべく誕生したのが、のちに全世界に大きな影響を及ぼすことになる**マルクス主義**です。マルクス主義とは、私たちが抱える社会問題の根本原因が資本主義経済システムにあると考え、資本主義制度を打ち倒すことで、すべての不平等と貧困問題を解決しようと考える政治思想のことを指します。言いかえるならば、マルクス主義は、私たちの社会を取り巻くさまざまな問題を解決するために誕生した、重要なアイデアの１つなのです。この章では、どのようにマルクス主義思想が生まれたのか、その時代背景について考え、その後マルクス主義の重要な理論である「労働疎外論」と「史的唯物論」について紹介していきます。そして、マルクス主義による文学批評はどのように行われるの

＊1　*"An Economy for the 99%"* Oxfam GB, January 2017.

＊2　OECD, Edu-cational Opportunity for All: Overcoming Inequality throughout the Life Course, Educational Research and Innovation, OECD Publishing, Paris, 2017.

か、『桃太郎』を例に考えてみましょう。

市民革命と資本主義の誕生

マルクス主義はその名の通り、**カール・マルクス**[*3]というドイツ人が考え出した思想です。マルクスは1818年にドイツ西部の都市トリーアで生まれました。彼が生まれた1800年初頭は、ヨーロッパ史における中世と近代の境目にあたります。[*4]当時、多くの市民は国王が統治するヨーロッパの政治システムに不満を持っていました。市民の中には、商売によって裕福な暮らしを手に入れていた人も多くいましたが、彼らには政治的な権力は一切与えられていなかったのです。というのも、絶対王政における身分制度の下では、王様個人に政治的権力が集中していました。どのくらいの税金を納めるべきか、公平な裁判を受ける権利があるかといった生死に関わる問題さえ、市民の関与が一切許されなかったのです。

産業革命による経済システムの大きな変化

一方、18世紀半ばから進行していた「産業革命」は社会的な格差をさらに広げていきました。産業革命とは、動力機械の発明と発展による生産技術の画期的な変革のことを指します。この革命が始まるまで、多くの商品は手工業で作られていました。経験を積んだ親方や熟練工が、簡単な道具を使って商品をひとつひとつハンドメイドしていたのです。こうした親方や熟練工の数は少なく、しかも長い経験を積む必要があったので、とても貴重な存在でした。したがって、資本家も容易に彼らを解雇したりはできなかったのです。しかし、機械の技術が向上したことにより、こうした多くの親方や熟練工は必要なくなりました。技術の発展に

市民革命は政治的な自由をもたらした

より、大量の商品を一度に生産できるようになったのです。その結果、工場に必要になったのは単純作業をしてくれる労働者だけになりました。実際、産業革命以降、女性や子供までもが工場で働き始めます。機械の扱いはとても簡単だったので、子供でさえ労働者となることができたのです。結果的に、市場には仕事を求める労働者たちがあふれかえることになりました。彼らの地位はますます低下していき、労働者は貧困と窮乏に陥ってしまったのです。

こうした不平等に怒った市民たちは、やがて政治的権利を求めて行動を起こしました。これは今では「市民革命」と呼ばれています。代表的なものは、1789年に起こったフランス革命でしょう。この革命を主導したのは市民たちでした。彼らは、国王や貴族の一切の権利を否定し、彼らの土地を没収し、新しい政府を自分たちだけで作ることに決めます。これは極めて画期的な革命でした。市民たちは社会的身分の束縛から解放され、自由に経済活動や政治活動を行うことができ、職業も自由に選べるようになったのです。

＊3 カール・マルクス ドイツの経済学者（1818〜83）。古典派経済学を批判的に摂取し、資本主義から社会主義へと至る歴史発展の法則を明らかにするマルクス主義を創唱。主著に『資本論』がある。

＊4 「近代」はいつから始まるかというテーマに関しては、絶対王政の成立や民主主義の成立をその起点とする見方もあるが、今回は資本主義社会の成立を「近代」の開始と考えるマルクス主義の歴史観に立って考える（河野健二『フランス現代史』山川出版社、1977年、34ページ）。

私有財産制と社会の不平等

　しかし、市民革命が達成してからも、貧富の差は無くなりませんでした。それどころか、その格差はますます拡大するようになります。もちろん、自由な経済活動が許された結果、市民の中には工場を経営して成金になる人が登場しました。しかし一方で、毎日10時間以上も働かなければ生きていけない、貧しい人々もどんどん増えていったのです。この状況をつぶさに目撃したマルクスは、問題の本質が「**私有財産制**」にあると考えました。私有財産制とは、土地や工場などの財産を個人が所有できる制度です。市民革命後のヨーロッパでは、この私有財産制が法律で保護されていました。その結果、事業で成功した人は、やがて莫大な富や機械や工場などを所有する、いわゆる「**資本家**」へと変身を遂げます。彼らは土地を貸してその地代を徴収したり、工場を稼働させて商品を売ることでさらに富を増やしていくことができました。

　土地や工場、機械といった要素は、モノを生産するのに不可欠な要素です。これらが元手になければ、商品を作ることができません。こうした生産のために不可欠な要素は、まとめて「**生産手段**」と呼ばれています。つまり、市民革命後のヨーロッパでは、資本家が一切の生産手段を所有することになったとも言えるでしょう。一方、土地を奪われ、村から都会へと流れてきた人々や没落した手工業者たちには何も売るものがありません。彼らにあるのは、自らの労働力だけでした。結局、彼らは資本家の工場で働くことでお金を稼ぐことになります。生産手段を持たない市民たちは労働力を売ることで賃金を得て生計を立てていたので、

「**賃金労働者**」と呼ばれました。

裕福な資本家と貧しい賃金労働者では、圧倒的に資本家が優位に立っていると言えます。賃金労働者は、生きていくためにはどんな劣悪な労働環境の下でも働かなければなりませんでした。しかも、資本家にとって代わりとなる労働者はいくらでもいたので、彼らは過酷な長時間労働や安い賃金でも辛抱しなければならなかったのです。さらに、労働者が起こした事故による怪我は自己責任とみなされ、働けなくなった労働者はすぐさま解雇させられました。「自由な経済活動」を口実に、資本家はこうした酷い仕打ちを堂々と行うことができたのです。

私有財産制による貧富の差の拡大

こうした格差の原因が私有財産制にあると指摘したのが、他ならぬマルクスでした。土地、工場、機械などの生産手段が資本家たちに独占されている限り、資本家と労働者との間の不平等は解消されないと彼は考えたのです。マルクスは友人の**フリードリヒ・エンゲルス**[*5]と協力して、私有財産制を解消するための、マルクス主義と呼ばれる新しい理論を打ち立てました。この理論のベースとなっているのが、労働疎外論と史的唯物論です。

＊5　フリードリヒ・エンゲルス　ドイツの思想家（1820～95)。カール・マルクスとともに『共産党宣言』などを著し、共産主義者同盟を指導するなど、近代労働運動の理論的支柱であるマルクス主義を樹立した。主著に『家族・私有財産・国家の起源』（戸原四郎訳、岩波書店、1965年)、『空想より科学へ』（大内兵衛訳、岩波書店、1966年）など。

マルクスは、労働は喜びの源泉であると考えた

現代の労働は苦痛でしかない

労働疎外論

マルクスは、人間が持つ基本的な本質とは、「**類的本質**」であると述べました。「類的」の類とは、仲間やグループといった意味があります。マルクスは、「類的本質」という言葉を用いて、人は1人では生きていけない存在であるという点を強調しました。例えば、赤ん坊は両親の助けがなくては生きていけません。さらに、私たちは、みんながお金を出し合って道路やダムを作っているおかげで快適な生活をおくることができています。このように、私たち人間は孤立して生きるように作られた存在ではなく、他人と協力し合って生きていく存在であるとマルクスは考えました。さらに、彼は人間の生存理由を「労働」に求めます。「働くために生きている」と聞くとなんだか聞こえが悪いですが、決して否定的な意味ではありません。マルクスによれば、労働は元々私たちに喜びをもたらす行為でした。ちょうど陶芸家が泥の中から丹念に精巧な工芸品を作り上げていくように、私たちの行う労働も、自分で自然の中から新しいモノを生み出し、その骨折りから満足感を得る、とてもクリエイティブで感動的な作業だったのです。実際、もし労働がこのように創造性に富んだ作業であったなら、私たちも喜んで仕事に従事するのではないでしょうか。

しかしながら、市民革命後の資本主義社会においては、労働の成果として作られた生産物は労働者自身のものにはならず、資本家の手に渡ることになります。この状態をマルクスは「**疎外**」（邪魔者扱いされている状態）と呼びました。この結果、彼らには労働による喜びや自尊心が得られません。それどころか、労働そのものが苦痛に満ちた苦行へと変わってしまい

ます。労働者は自分で計画や目標を立てることは許されず、資本家の命令のまま動くロボットとなってしまい、自分が行っている生産活動からも疎外されることになります。さらにマルクスは、資本主義社会の下での労働が人間の「類的本質」をも破壊してしまうと警告しました。本来、人間は助け合って生きていく存在ですが、生き馬の目を抜くような資本主義社会の生存競争においては、他人との関係は疎外されることになります。労働者は生活を享受している資本家を恨み、時には傷害事件さえ起こすかもしれません。このような労働者の非人間的な状態を、マルクスは「**労働の疎外**」と呼びました。

マルクス主義は、この「労働の疎外」の原因が、資本家による生産手段の独占にあると指摘します。したがって、マルクスは労働者が団結して政府を立ち上げ、私有財産制を撤廃し、生産手段を彼ら自身で共有する以外に、この悲惨な状態から脱却する術(すべ)はないと強調しました。

史的唯物論

マルクスが主張したもう1つの理論は、「**史的唯物論**」です。彼は、人類の歴史には1つの法則が存在すると考えました。それは、「社会は生産力の向上によって発展する」という法則です。例えば、2000年前の社会と現代の社会とを比べると、現代の社会の方が、極めて高度で複雑な構造を持っていると誰もが思うでしょう。マルクスによれば、これは人類の道具や機械が発展し、生産力が向上した結果です。さらに彼は、生産技術の進歩にとも

生産力と生産関係

なって、私たちの社会における**生産関係**も変化すると述べました。生産関係とは、生産を行うために固定化された上下関係のことを指します。例えば江戸時代の日本では、領主が土地を所有し、それを農民に貸し与えて農作物を生産していましたが、これを「領主と農民」という生産関係として考えることができるでしょう。マルクスは人類の歴史を、生産力の絶え間ない増大によって変わっていく、「生産関係の変化の歴史」であると考えたのです。

マルクスによれば、生産力は技術の向上によって継続的に増加していきますが、生産関係の方はというと、なかなかすぐには変わりません。というのも、領主や資本家といった生産関係における支配者側は、農民や労働者をしぼり取ることで莫大な利益を得られるからです。そのためマルクスは、生産関係の変化が始まるのは支配者側からではなく、搾取されている農民や労働者の側から始まると主張しました。農民が一揆を起こしたり、労働者が暴動を起こしたりすることで、それまでの古い生産関係が破壊され、新しい生産関係へと発展していくことになるのです。マルクスはこれを「**階級闘争**」を呼びました。そして最後に彼は、現代の資本主義社会は労働者階級が資本家階級

階級闘争による社会システムの改変

マルクスの史的唯物論

時代	古代奴隷制社会	中世封建社会	近代資本主義社会
生産関係	王と奴隷	領主と農民	資本家と労働者
生産技術	原始的	原動機（水車）、脱穀機など	機械制工業への移行、工場制生産
生産力	限定的	徐々に増加	急激に増加

を打倒することで崩壊し、労働者が自分たちだけで生産手段を共有する、「**社会主義社会**」が将来誕生するはずであると予言しています。この点についてエンゲルスは次のように述べています。

> プロレタリアート（労働者階級のこと——引用者）は公共的権力を掌握し、この権力によってブルジョアジーの手からはなれ落ちつつある社会的生産手段を公共所有物に転化する。この行動によって、プロレタリアートは、これまで生産手段が持っていた資本という性質から生産手段を解放し、生産手段の社会的性質に自己を貫徹すべき完全な自由を与える。……人間はついに人間に特有の社会的組織の主人となったわけであって、これにより、また自然の主人となり、自分自身の主人となる。*6

マルクス主義の信奉者は19世紀後半から次第に拡大し、1917年にはロシアに世界初の社会主義国家が誕生しています。第二次世界大戦後には、東ヨーロッパ、アジア、アフリカ

*6 F. エンゲルス『空想より科学へ』大内兵衛訳、岩波書店、1966年、92ページ。原著は *Die Entwicklung des Sozialismus von der Utopie zur Wissenschaft*, 1880.

にも多くの社会主義国家が樹立され、資本主義国家と世界を二分するほどの影響力を持つまでになりました。しかしながら、１９７０年代以降、経済の停滞や政治的腐敗などが重なってマルクス主義の権威は失墜し、現在ではほとんどの国が社会主義を放棄しているのが現状です。

マルクス主義批評と文学作品

文学作品を社会の鏡と見なすマルクス主義批評

マルクスが関心を持っていたのは、経済格差や労働問題といった、現実の世界で起きている社会問題でした。マルクス主義批評は、この考え方を文学研究に取り入れ、文学作品が現実の社会と経済をどのように反映しているのかという点に注目していきます。マルクスによれば、私たちの社会はまず、衣食住を満足させるための生産関係を確立していきます。彼はこれを「**基礎**」もしくは「**下部構造**」と呼びました。一旦この下部構造が構築されると、それを土台として文学という「**上部構造**」が作られます。現実の経済構造が作家の意識に影響を及ぼし、それが文学作品という目に見える形で生まれてくるとも言えるでしょう。実際、マルクスは「意識が生活を規定するのではなくて、かえって生活が意識を規定する」[*7]と述べ、文学は特定の社会階級が形成している**イデオロギー**（政治的、社会的な思想）を反映していると考えました。したがって、マルクス主義批評では、文学作品を精読し、当時の社会を支配していたイデオロギーを抽出しようと考えます

例として、**リアリズム**（**写実主義**）**文学**について考えてみましょう。リアリズム文学とは、

リアリズム文学は資本主義社会の文学である

1850年代のフランスで誕生した文学運動です。**ギュスターブ・フローベール**[*8]や**シャンフルーリ**[*9]といった作家は、人物描写や情景描写において作者の主観をできるだけ排除し、現実を忠実に再現しようと工夫しました。客観的な視点で、あるがままの現実を写実的に描写しようとしたのです。しかし、マルクス主義によれば、リアリズム文学の隆盛も当時の社会構造の反映にほかなりません。実際、リアリズム文学の特徴の1つとして、野心的な主人公が登場し、社会でのし上がっていくというプロットがあります。典型的な例として、**オノレ・ド・バルザック**[*10]の**『ゴリオ爺さん』**[*11]に登場する主人公ウージェーヌ・ド・ラスティニャックが挙げられます。

マルクス主義批評では、こうしたキャラクターの個性が強調されているリアリズム文学を、当時広まっていた資本主義のイデオロギーを反映したものであると考えます。実際、19世紀中ごろのヨーロッパでは、工場を経営して巨万の富を握る資本家階級が増加し、社会的に大きな影響力を持つまでになっていました。彼らがモットーとする思想は、徹底した「自己責任型」の社会です。彼らによれば、我々が世の中で成功できるか否かは、個人の努力と能力

＊7 K. マルクス『ドイツ・イデオロギー』花崎皋平訳、合同出版、1966年、43ページ。

＊8 ギュスターブ・フローベール フランスの小説家（1821〜80）。『ボヴァリー夫人』『感情教育』『ブヴァールとペキュシェ』など、徹底的に主観を排した作風で知られる。

＊9 シャンフルーリ フランスの小説家（1821〜89）。代表作は田舎のブルジョアを風刺した『モランシャールの市民たち』など。

＊10 オノレ・ド・バルザック フランスの小説家（1799〜1850）。作品には並外れた情熱に身を焼かれる強烈な個性の人物たちが現れ、普遍的人間像を描き出すのに成功している。代表作に『ゴリオ爺さん』『谷間の百合』『従妹ベット』など。

＊11 『ゴリオ爺さん』 H. de バルザック、平岡篤頼訳、新潮社、1972年。原著は *Le Père Goriot*, 1835.

バルザックの小説はフランス社会の縮図である

にすべてかかっており、それ以外の要因を認めません。この意味で、資本家たちの考え方はきわめて個人主義的であったと言えるでしょう。リアリズム文学が誕生した1850年代は、まさにこうした「努力型」の資本家たちが活躍し、彼らが考えるイデオロギーが支配的な時代でした。『ゴリオ爺さん』にも、自らの能力で富と権力を掌握しようとする主人公ラスティニャックの生き様が生き生きと描写されています。したがってマルクス主義批評によれば、リアリズム文学における個性の強調は、資本主義イデオロギーの産物と言えるのです。

別の例として、1848年に書かれたバルザックの小説『従姉ベット』[*12]を考えてみましょう。この小説には登場人物として、エクトル・ユロ男爵という貴族とセレスタン・クルヴェルという資本家が登場します。ユロ男爵は女狂いが激しく、そのために莫大な財産を使い果たして家族を不幸のどん底に追い込んでしまいます。一方、クルヴェルは財力にものを言わせてパリ区の区長になり、ユロ男爵の愛人までをも奪うほどの権力を握ります。まさに昼ドラに出てきそうなドロドロした愛憎劇のようですが、私たちはマルクス主義批評を用いることで、この小説を当時のフランス社会の構造を反映させた作品として読むことができます。この物語が執筆された19世紀前半は、産業革命が進展し、ヨーロッパで資本主義社会が発展していた時代でした。18世紀の身分制社会で活躍していた貴族が没落していく一方、資本家が支配的な役割を担っていくという時代の転換期だったのです。この観点から見れば、バルザックの小説が、身分制社会から市民社会へと変貌していくフランス社会を生々しく描写した作品であることが理解できるでしょう。破産したユロ男爵は、当時衰退の一途をたどっていた貴族階級のシンボルであり、成金のクルヴェルは台頭していくブルジョア階級の典型として見なすことが可能となるのです。このように、文学作品を社会の進歩といったテーマと関連させて論じた例としては、他にシェイクスピアの『**リア王**』における父リア王と貪欲な娘たちとの対立を、ブルジョワジーと封建領主の間の階級的利害の対立として批評したものなど[*13]があります。

イーグルトンによるマルクス主義批評

前に述べた批評家テリー・イーグルトンも、マルクス主義批評の研究方法を好んで用いたことで有名です。彼は、**ジョゼフ・コンラッド**[*14]の小説『**ノストローモ**』[*15]を当時の社会的背景と絡めて論じています。架空の南米の小国を舞台にしたこの小説では、善意を重んじる主人公ノストローモが、ふとしたことから手に入れた富によって堕落し、ついには悲惨な死を迎えます。この物語を貫いているのは、徹底した厭世的な雰囲気です。イーグルトンは、こうした悲観的な雰囲気を、「ブルジョア階級のイデオロギーの激烈な危機的状況を示すもの」[*16]とみなしました。先の見えないし烈な帝国主義国家間の争い、富に溺れる資本家階級、人々を取り巻く疎外感といった当時の時代背景が、厭世的なイデオロギーを形成し、それが文学という「上部構造」に反映されていたとイーグルトンは考えたのです。

＊12 『従姉ベット』 H. de バルザック、平岡篤頼訳、新潮社、1968 年。原著は *La Cousine Bette*, 1848.

＊13 P. バリー、前掲書、196 ページ。

＊14 ジョゼフ・コンラッド ポーランド生まれのイギリスの小説家（1857〜1924）。『ロード・ジム』『台風』など、海洋を舞台にした小説で有名になった。近年はコンゴを舞台にした『闇の奥』でその評価がとみに高まっている。

＊15 『ノストローモ』 J. コンラッド、鈴木建三訳、筑摩書房、1975 年。原著は *Nostromo*, 1904.

＊16 T. イーグルトン『マルクス主義と文芸批評』有泉学宙訳、国書刊行会、1987 年、27 ページ。

マルクス主義批評と『桃太郎』

マルクス主義の考え方は、20世紀前半に日本で広まり、多くの作家に影響を与えています。実際、小林多喜二、**黒島伝治**[*17]、**徳永直**（すなお）[*18]といった小説家などは、当時の労働者たちの過酷な暮らしに同情し、資本家による搾取や労働者の困窮をリアルに描きました[*19]。こうした状況の中で、『桃太郎』も社会の現実を大衆に訴えるための芸術作品として解釈されることになります。例えば**坂梨光雄**の**「その後の桃太郎」**[*20]では、鬼退治を終えた桃太郎が鬼ヶ島の財宝を独り占めする様子が描写されました。ここで桃太郎は、キビダンゴで雇ったイヌ、キジ、サルに何の分け前も与えない、私利私欲にまみれた人間として描かれています。坂梨は資本家を桃太郎、労働者を動物に仮託することで、現実の不平等な社会を批判したのです。一方で、**本庄睦男**の**『鬼征伐の桃太郎』**[*21]では、鬼は労働者や農民を搾取する資本家や地主、桃太郎は逆に労働者のリーダーとして描かれています。桃太郎は犬次郎、雉助、猿吉といった農民たちと協力して支配階級を打倒し、最後には財産を共同で保管するという「社会主義社会」を建設して物語は終わります。これは、当時実際に起こっていた労働者たちの労働争議[*22]やストライキなどの「階級闘争」を社会的視野に立って描いた作品であると言えるでしょう。このように『桃太郎』は、当時の過酷な資本主義社会を映し出す作品として応用されました。『桃太郎』の物語は、私たちが生きている貧困と不正に満ちたナマの現実を世間に訴えるための、きわめて政治的なメッセージとして蘇ったのです。

コラム　マルクスの予言は当たったのか？

マルクスは、資本主義社会はやがて「社会主義社会」という次のステージへ必然的に移行すると予言しました。労働者がますます貧しくなり、資本家がますます裕福になることによって労働者の不満が高まり、ついには労働者による革命が起こると考えたのです。それでは、今日マルクスの予言は当たっているのでしょうか？

たしかに、日本社会における格差は決して解消されているとは言えません。とりわけ、終身雇用制度が崩壊しつつある今、契約社員やパート社員などのいわゆる非正規社員の数は増え続け、彼らの多くはギリギリの生活を余儀なくされています。しかしながら、それによって労働者たちが革命を起こし、政府を転覆するという流れには至っていません。これには、現代の資本主義社会がマルクスの時代の資本主義社会と大きく様変わりしていることに原因があると言えます。もともと、マルクスが想定していた資本家とは、労働者を搾取することで自分の利益を追求する存在でした。しかし、今日多くの企業における社長

＊17　黒島伝治　小説家(1898〜1943)。『雪のシベリア』『渦巻ける烏の群』『国境』などの反戦小説で小説家としての地位を固めた。貧困に追われる農民の哀歌や願望を素朴に写した作品が多い。

＊18　徳永直　小説家(1899〜1958)。印刷工員として労働組合運動に参加。『太陽のない街』で作家として認められた。戦後は新日本文学会の結成に参加。

＊19　こうした労働者としての階級的、政治的立場に立って現実を描こうとする文学運動は、プロレタリア文学と呼ばれている。

＊20　「その後の桃太郎」　坂梨光雄作、雑誌『少年戦旗』所収、戦旗社、1929年7月号。

＊21　『鬼征伐の桃太郎』　『日本プロレタリア文学集 31』所収、新日本出版社、1987年。

＊22　労働争議　労働者と使用者との間で労働条件などを巡って起こる争い。

＊23　村田沙耶香　小説家(1979〜)。現代社会の多様性にまつわる問題を淡々としたタッチで描く。2016年に『コンビニ人間』で芥川賞を受賞。

やCEO（最高経営責任者）は株主に雇われたサラリーマンです。彼らの役割は会社を経営して株主に利益を還元することにあって、必ずしもマルクス型の資本家のような、私利私欲にまみれて私腹を肥やしている人間ではありません。また、未だに日本の労働者の6割は正規社員であり、彼らは安定した収入を得ています。つまり、正規雇用で働いているサラリーマンはマルクスが考える労働者に該当しないと言えるでしょう。かえって、今日労働者の4割近くを占める非正規雇用の人々こそ、マルクスが考える労働者なのかもしれません。実際、現代では**村田沙耶香**[*23]の**『コンビニ人間』**など、ワーキングプアの現状をリアルに描写した文学作品が多く登場しています。こうした文学作品を、マルクス主義の視点から分析してみるのも面白いかもしれません。

村田沙耶香
『コンビニ人間』

第7章
なぜ桃太郎は男なのか？
——フェミニズム批評

フェミニズムと私たち

質問：グーグルは男か女か？
答え：もちろん女。なぜならグーグルはまだ質問が終わっていないうちにしゃべろうとするから。

このジョークに対する反応は、読者が男性か女性かによって変わってくるでしょう。男性ならばニヤリとほくそ笑み、女性ならば眉をひそめて不快感をあらわにするかもしれません。私たちは無意識のうちに、男性なら男性として、女性なら女性として、この世界を見ています。**性別（ジェンダー）**を抜きにした、まったくの透明な見方というものはどこにも存在しません。実際、右のジョークを例として挙げるまでもなく、私たちは日常生活の中で常に自らの性別（ジェンダー）について気づかされています。もしあなたが女性であれば、まだ子供であった頃、外でやんちゃに走り回って、「もっと女の子らしくしなさい」と親から言われたことがあるかもしれません。もしあなたが男性なら、部屋で静かに本を読んでいる時に、「たまには男の子らしく外で遊んで来なさい」と親から叱られた経験があるのではないでしょうか。さらに大人になってからも、「これだから女は……」や「男ってどうしていつも……」など、差別的な言葉を一度は耳にしたり、自分で発言したりしたことがあるでしょう。ジェンダーは、自分自身でさえそれと気づかないほど、生活のさまざまな面で大きな影響を及ぼしています。

日本の女性差別はとりわけ深刻な課題である

しかし差別の点に関して言えば、私たちが日常生活で見聞きするのは、そのほとんどが女性に対するものなのではないでしょうか？　例えば、連日のように耳に入ってくるセクハラ（性的嫌がらせ）や痴漢のニュースは、女性をストレスのはけ口としてしか見ていない、男の差別意識の表れでしょう。それ以外にも、最近では大相撲における女人禁制ルールや、医学部入試における不正な得点調整が話題となりました。実際、日本の性差別は世界でも有名になっています。第４章でも述べたように、「世界ジェンダー・ギャップ報告書２０２０」では、日本の男女平等指数は世界１５３ヶ国中１２１位と、きわめて低い評価が与えられました。フェミニズムは、こうした男女差別を改善し、女性が社会でも家庭でも男性と平等な権利を得られるようにすることを目標にした運動のことを指します。フェミニズム批評を通して、私たちはジェンダーが社会においてどんな意味を持つのかについて重要な手がかりを知ることができるのです。

文学理論のなかのフェミニズム

フェミニズムが文学にとってとりわけ重要な意味を持つのは、それが文学の読み方にまったく新しい視点をもたらしたからだと言えるでしょう。フェミニズムが誕生するまで、精神分析批評やマルクス主義批評といった他の文学理論が行ってきたことと言えば、過去の「名作リスト」や「古典リスト」を別の方法で読み直すという作業の繰り返しでした。シェイク

フェミニズムは名作リストを塗りかえた

スピアの『ハムレット』や**ヘンリー・フィールディング**[*1]の**『トム・ジョウンズ』**[*2]といった名作リストの作品を引っ張り出しては、そこに潜んでいるであろうエディプス・コンプレックスや階級問題を見つけ出す、というような具合です。しかしながら、フェミニズム批評の誕生は、今までの「文学的名作」や「古典」という概念そのものを大きく塗りかえる大事件でした。フェミニズムの批評家たちは、これまで名作や古典と呼ばれてきた作品が、すべて知識階級に属する男たちによって決められたものであることを指摘します。男性たちは自らの独断と偏見に基づいて名作リストを作り上げる一方、女性たちの作品を陳腐で無価値なものとしてゴミ箱に投げ捨てていたのです。それに対し、フェミニズム批評は女性の目線から、そうした「名作リスト」を男性中心的かつ差別的なものとして退け、今まで埋もれていた数多くの女性作家による作品をどんどん発掘していきました。イギリスの作家メアリー・シェリーの『フランケンシュタイン』やアメリカの作家**トニ・モリソン**[*3]の**『ビラヴド：愛されし者』**[*4]などは、フェミニズム批評の手によって初めて英米文学の傑作として高く評価されるようになった作品です。フェミニズム批評は、それまで男性によって独占されていた文学の世界を大きく変革させる上で、計り知れない影響を及ぼしたと言えるでしょう。

文学理論を発展させたフェミニズム

フェミニズム批評は文学理論の発展にも大いに貢献しました。精神分析批評、脱構築批評、マルクス主義批評、後述するポストコロニアル批評といった文学理論の各派は、フェミニズム流のアプローチ方法によってさらなる進展を果たしたのです。例えば、フロイトやラカンの精神分析は、後述するジュリア・クリステヴァやエレーヌ・シクスーによって異議を唱えられ、まったく新しい方向へと進化していくことになりました。脱構築批評に関して言えば、ジュディス・バトラーが脱構築批評のテクニックを用いて男女の二項対立を解体させることにより、その実用性が実証されています。ポストコロニアル批評の女王として有名なガヤトリ・スピヴァクも、開発途上国の女性の権利を訴えたフェミニズムなくしては自らの理論を発展させることはできなかったかもしれません。フェミニズム批評は、それまで「女人禁制」だった文学理論のタブーに挑戦したことにより、文学理論の世界に新境地を開くことに成功しました。この章では、まずフェミニズムの原点である家父長制問題について解説し、次に家父長制を解体させるために**フェミニスト（フェミニズムを支持する人々）**たちが進めている3つのアプローチについて、ひとつひとつ紹介していきます。

家父長制への挑戦

男性による女性差別は、今に始まった問題ではありません。有史以来、形や程度の差はあれど、男による女の支配はずっと続いてきました。しかしながら、女性にとっては不幸なこ

＊1　ヘンリー・フィールディング　イギリスの小説家、劇作家（1707〜54）。鋭い観察眼によって人間の虚飾を剝ぎ、こっけいさの中に人間性の真実を暴いて、『ジョウゼフ・アンドルーズ』『怪盗一代記：ジョナサン・ワイルド』など、イギリス小説史を飾る傑作を書いた。

＊2　『トム・ジョウンズ』　朱牟田夏雄訳、岩波書店、1975年。原著は *The History of Tom Jones, a Foundling*, 1749.

＊3　トニ・モリソン　アメリカの作家（1931〜2019）。アフリカ系アメリカ人として中西部で育った。幻想的かつしなやかで詩的な文体、神話の織りなす豊かさで物語に力強さと独自の作風を生んだ。主著に『青い眼がほしい』など。

＊4　『ビラヴド：愛されし者』　T. モリソン、吉田迪子訳、集英社、1990年。

とに、20世紀に至るまで、女性差別の問題は見過ごされたままだったのです。そもそも女性差別は男性たちにとって、空気のように当たり前の習慣だったので、彼らがそれに気づくことすら簡単なことではありませんでした。もちろん、なかには**メアリー・ウルストンクラフト**[*5]や**オリーヴ・シュライナー**[*6]のように、社会における女性の不平等を弾劾した先駆者もいました。しかし、女性への抑圧が時たま指摘されることがあっても、それは「神が与えた摂理」や「身体的な違い」として正当化されるのがオチだったのです。しかし20世紀に入ると、フェミニズムの先駆者である**ケイト・ミレット**[*7]や**シュラミス・ファイアストーン**[*8]などが、女性差別の真の原因が「**家父長制**」にあることを発見することで、フェミニズムの理論は大きく前進していくことになります。家父長制という悪の構造の発見は、フェミニズム運動の重要な起点となったのです[*9]。

家父長制――フェミニズムが考える諸悪の根源

家父長制とは何でしょうか? **ハイディ・ハートマン**[*10]は、家父長制を「物質的基盤を持ち、かつ男性間の階層制度的関係と男性に女性支配を可能にするような男性間の結束が存在する一連の社会関係[*11]」と定義しました。言いかえれば、家父長制とは男性による「女性支配」、つまり男性が女性よりも力と権力を持っている社会システムのことです。フェミニズムによれば、世界のあらゆる社会は、男による女の支配が行われている家父長制の社会です。それは、現代の日本社会も例外ではありません。例えば、日本の女性が一歩社会に出れば、彼女が経験するのは数えきれないほどの差別の連続です。女性はたとえ会社でいくら頑張っても、男性よりも昇進が遅く、管理職になれることは滅多にありません。また、「女は結婚したら仕事を辞めるべきだ」という男たちの偏見を押し付けられて、結婚や出産後は退職することを余儀なくされています。さらに、家に帰れば家事や育児を一方的に任せられ、満足にできなければ母親失格だとまわりから非難されるばかり。夫からのDV（身体的暴力）や言葉の暴力（「誰のおかげで飯が食えると思っているんだ！」「なんの稼ぎもないくせに！」）に日々苦しんでいるにもかかわらず、役所や警察は「家庭のプライバシー」を口実に、実際に介入することはほとんどありません。女性は外でも内でも、絶えず男性からの過酷な差別と抑圧にさらされているのです。

女性差別を意識しない男たち

しかし、より深刻な問題は、女性差別をする男性自身が、自分がやっていることが差別だと思っていないということでしょう。この点について、文学者の**織田元子**は『**フェミニズム批評**』[*12]で以下のように述べています。

> 多くの男にとっては、女性差別は〈無意識〉の領域に属することがらである。……差別主義者の特徴は、自分が差別主義者だということを知らないことである。差別発言の指摘を受けた人は「差別のつもりで言ったのではない」と弁解するのを常とする。……

＊5　メアリー・ウルストンクラフト　イギリスの女権拡張論者（1759〜97）。『女性の権利の擁護』で当時の男尊女卑の風潮に抵抗した。

＊6　オリーヴ・シュライナー　南アフリカの作家（1855〜1920）。1908年に婦人参政権同盟を設立。主な作品は、女性の経済的自立を説く『婦人と労働』。

＊7　ケイト・ミレット　アメリカの社会活動家(1934〜2017)。全米女性会議のメンバーとして精力的に活動する。代表作『性の政治学』（藤枝澪子ほか訳、ドメス出版、1985年）は1970年代におけるフェミニストたちのバイブルとなった。

＊8　シュラミス・ファイアストーン　カナダのフェミニスト（1945〜2012）。わずか25歳で執筆した主著『性の弁証法』では、マルクス主義の唯物史観を取り入れながら性の階級の撤廃を訴えている。

＊9　P. バリー、前掲書、140ページ。

＊10　ハイディ・ハートマン　アメリカの経済学者(1945〜)。女性擁護のための組織「女性政策研究機関」の創設者として知られる。

＊11　Heidi Hartman, "*The Unhappy Marriage of Marxism and Feminism: Towards a More Progressive Union*," in Lydia Sergent ed. *Women & revolution*, London: Pluto Press, 1981, 65.

＊12　『フェミニズム批評』　織田元子、勁草書房、1988年。

それゆえ、差別との戦いは〈無意識〉との戦いとなる。*13

フェミニズムは家父長制を支えている「男の理論」を告発する

「足を踏まれている者の痛みは当人しかわからない」とよく言われるように、女性たちの怒りや悲しみは加害者である男たちにはまったく分かりません。「なんでこんなことが差別になるんだ！」「これくらいのことでセクハラだなんて、だから女ってのは感情的なんだよ！」とがなり立て、自分の行為を正当化する男たちにとっては、家父長制の世界こそが真理であり、それ以外の世界を想像することさえ難しいのです。フェミニズムの目的は、まずはこうした男性たちが意識していない、差別と欺まんに満ちた家父長制システムの全貌を白日の下にさらすこと、そして次に家父長制の抑圧から女性を解放することにあります。

それでは、いったいどうすれば家父長制の構造を暴露できるのでしょうか？　フェミニズムは、現代の家父長制を支えている理論、とりわけ「精神分析」、「資本主義」、そして「**本質主義**」に注目します。20世紀半ばまで、これらの理論は近代社会の中で「普遍的な真理」として認められてきた理論でした。しかしながらフェミニズムにとって、こうした理論は、男たちが家父長制システムを正当化するために作り出したイデオロギーにほかなりません。あくまでも、こうした理論は「男の、男による、男のための」理論であり、男性による女性支配を正しいものとして見せるための便利な道具にすぎないというわけです。フェミニズムはこうした理論がいかに女性差別を助長してきたのかという点を告発することから始まりました。まず第一にフェミニストの標的にされたのが、精神分析学です。

フロイトの女性蔑視

精神分析批判——差異派フェミニズム

「フロイト……の女性観は、女性を、受身的で、ナルシスティックで、マゾヒスティックで、ペニス羨望的で、男性にくらべて道徳意識に欠けるとみる点で、フェミニストたちから鋭い批判をあびてしかるべきものとなっている」[*14]。こうイーグルトンが述べるように、フロイトの女性に対する見方はきわめて差別的で侮蔑的です。第5章でも書きましたが、そもそも彼は女を「ペニスを持っていない男」としてしか理解していませんでした。女性という性を1つの独立したものとして認めず、男と比べて身体的に欠陥をもった存在として認識していたのです。また、彼は女性という存在はペニスを持たないゆえに劣等感のかたまりであり、子供を産むことによってペニスの代わりとなるものを所持しようという考えにとりつかれているとも述べていました。さらに、男がエディプス・コンプレックスを通して健全な超自我（道徳心）を育んでいく一方、女の場合は超自我が心の中で育たないので、感情的かつ不道徳な人間になってしまうことは避けられないとまで断言しています。

＊13　同書、2ページ。
＊14　T. イーグルトン『文学とは何か』下巻、84ページ。

フロイトへの反発から始まった差異派フェミニズム

一部のフェミニストは、このようなフロイトの女性蔑視の理論こそ、家父長制の根本原因であるとして、厳しく非難しました。男性社会がフロイトの理論を正しいものとして認めてしまったら、女が男よりも劣っているのは一種の生物学的な宿命ということになり、女性差別の構造はこれによって正当化されてしまうでしょう。実際、20世紀初頭における西洋の知識人たちは、フロイトの理論を根拠に女性に対する差別的言動を許容してきました。フロイトの理論が反駁（はんばく）されない限り、女性は一生自分の劣等性から脱け出すことはできません。このような状況の下で生まれたのが、「**差異派フェミニズム**」と呼ばれるグループでした。その中でもひときわ精彩を放っていたのが、ブルガリア出身の文学理論家**ジュリア・クリステヴァ**[*15]です。彼女は、はじめフランスで記号論や言語学を研究していましたが、1970年代に入ると次第にその本領を発揮し、女性のアイデンティティーを精神分析と絡めて論じる、フェミニズムの擁護者になりました。

クリステヴァの特徴は、フロイトやラカンの精神分析を女性の目線から新たに捉え直そうとしたことにあります。とりわけ彼女が注目したのは「幼児はエディプス・コンプレックスを経験する前、どんな状態にあったのか？」という点です。ここで少しエディプス・コンプレックスについて振り返ってみましょう。フロイトやラカンが指摘するように、生まれたばかりの幼児には、「自分と母親は一体なのだ」という意識しかありません。未だ他人と自分の区別がつかず、「自分の気持ちはそのまま母親の気持ち」であると完全に信じきっています。ラカンによれば、こうした母親との融合状態は「想像界」と呼ばれ、至福の喜び、いわゆる「享楽」状態を幼児にもたらすことになります。しかしながら、赤ん坊はいつまでも母親との一体化を味わえるわけではありません。成長するにつれて、幼児は母親がいつまでも自分につきっきりの状態でいるわけではないことに気づき、衝撃を受けます。「自分は母親を欲している。しかし、母親は自分ではない他人（父親）を欲しているのだ！」。このことにショックを受けた幼児は、やがて母親との一体化の状態を捨て、母親から自立しようと決意します。そして、母親が欲望する対象である父親の規則や言葉を受け入れ、父親のような「男らしさ」を身につけることによって独立するようになっていくのです。これがいわゆるエディプス・コンプレックスのプロセスです。

アブジェ、あるいは不気味なもの

さて、この時、幼児にとって母親という女性的なものは、「魅惑的」であると同時に、自分の自立をさまたげる「おぞましい」存在でもあると言えるかもしれません。クリステヴァは**『恐怖の権力』**[*16]において、幼児が試みるこのような母親からの分離（＝自立）の行為を**アブジェ**（the abject）と呼びました。彼女によれば、アブジェとは母親のイメージそのものであり、「魅惑」と「おぞましさ」の両方の感情を同時に引き起こす、不気味で無秩序な存在すべてを指します。[*17]こうしたアンビバレント（相反する気持ちが同時にあること）な感情が、母

＊15　ジュリア・クリステヴァ　ブルガリア生まれのフランスの女流評論家（1941〜）。文学作品を多くの意味する行為の１つとみて、意味する行為すべてを解明する記号理論を打ち立てようとしている。『中国の女たち』『セメイオチケ』など著書多数。

＊16　『恐怖の権力』　J. クリステヴァ、枝川昌雄訳、法政大学出版局、1984年。

＊17　同書、３ページ。

親のイメージと一体化すると言ってもいいかもしれません。やがて私たちは、大人になってからも、「自立的」「理性的」「秩序的」「文化的」「精神的」なものを「男性的なイメージ」と結びつけて尊ぶ一方、「依存的」「感情的」「無秩序的」「野生的」「肉体的」なものを女性的なイメージと結びつけ、それを無意識のうちに排除しようと考えます。クリステヴァによれば、これこそ、私たちが幼児期のトラウマからいつまでも抜けきれず、絶えずアブジェ（女性的なもの）を自分の内部から捨て去ろうという強迫観念に捕らわれている証拠にほかなりません。

秩序と理性の社会を揺るがすアブジェの存在

彼女はアブジェの代表的な例として、糞便、血液、かさぶた、爪、フケなどを挙げています。例えば、最近『うんこ漢字ドリル』という学習書が人気を集めました。これは、小学1年生から6年生までの子供に漢字を覚えてもらうため、さまざま場面にうんこを登場させているドリルです。なぜ『うんこ漢字ドリル』は売れたのでしょうか？　1つの理由としては、そもそも小学生はうんこが好きだという事実があります。実際、誰しも子供の時は、「うんこ」「おなら」「おしり」といった下品な言葉にとても興味を示したことがあったのではないでしょうか？　これをクリステヴァの理論で分析すれば、うんこはアブジェの一種であり、したがって絶えず私たちの心を強く惹きつけるものであるから、ということになります。ただし、大人の社会においては、うんこが好きだと公言することは歓迎されません。なぜなら、私たちの社会は秩序と理性が支配する「男性的な社会」であり、魅惑的なイメージを持つ「アブジェ」は、この社会にとって秩序を揺るがす危険な存在にほかならないからです。したがってクリステヴァによれば、男性優位の社会が存続するかぎり「アブジェ」は永遠に否定されるということになります。

「セミオティック」

そうであれば、私たちはいったい何によって女性的なものを復権させることができるのでしょうか？　クリステヴァよれば、その答えが文学なのです。文学こそが、秩序だった男性社会を突き崩し、男性社会に汚染された言葉の中から「**フェミニティ**（**女性らしさ**）」を復活させる武器にほかなりません。この点について、彼女は**『詩的言語の革命』**[*18]の中で「**セミオティック**（la Semiotic）」という概念を提起しました。前に述べたように、幼児は成長するにしたがって、母親から離れようと、あらゆる女性的なもの、つまりアブジェを捨て去ろうとします。そのために、幼児は男性中心の社会が作り上げた法や言葉を進んで身に付けることで、父親らしくなろうと考えます。言いかえれば、今私たちが使っている言葉はすべて、エディプス期を経た後に習得した、「男性の、男性による、男性のための言葉」にほかなりま

＊18　『詩的言語の革命』
J. クリステヴァ、原田邦夫訳、勁草書房、1991 年。

意味不明な言葉の連なりこそが重要である

せん。つまり、私たちが今使っている言語は、この男性中心的な社会が無理やり与えた人工的な言葉であり、私たち本来の言葉ではないということになります。クリステヴァはこの論理に基づいて、私たちが言語を習得する以前（＝前エディプス期）に存在していた「原始的な記号体系」もしくは「記号以前的な言説」こそが男性社会へのカウンターになると考えました。これが「セミオティック」と呼ばれるものです。もちろん、言葉を習得する前の幼児は意味不明な声を出すだけです。たとえ私たちが耳を傾けても、幼児の言葉は「ウー」や「アー」といった、とりとめのない音の連続に聞こえるでしょう。しかし、それが私たちにとって理解不能であるということは、同時にそれが男性社会の言葉の法則に汚染されていない、本来の女性的な言葉であるということでもあります。クリステヴァは、幼児が発するこうした「意味作用とは異質な文節」、つまりありとあらゆる奇妙で意味不明な言葉の反復や支離滅裂さこそ、男性社会の言葉の秩序を覆し、女性的なものを男たちの束縛から解放できると指摘しました。実際、彼女はこのような「セミオティック」な言葉の連なりが、すでに**ステファヌ・マラルメ**[*19]、**ジェームス・ジョイス**[*20]、**ヴァージニア・ウルフ**[*21]などの文学作品の中で復活しつつあると述べています。例えば、ウルフの小説**『灯台へ』**[*22]に関する、**御輿哲也**の批評を読んでみましょう。

> 彼女の作品の中には……言語表現がその中に秘めているとおぼしいエネルギーや生命力をしぼり出し、掘り起こし、にじみ出させるために、ありとあらゆる手段や工夫が動員されていると言ってもよいだろう。たとえば〝space〟（「空間」「空白」など）や

“vision”（「幻影」「見方」など）といった物語展開の要諦をなす言葉については、これをことさら多様な状況の中に導入することで、そのニュアンスの広がりや奥行きの深さに対して、あらためて読者の注意を喚起しようとする。またそれとは逆に、登場人物の青年ポールが口にする“Lights, lights, lights”（「灯り、灯り、灯り」）の台詞のように、作品の中心的象徴とも言うべき、「灯台」と関わって重い役割をになうはずの言葉を、ほとんど擬音語的に、あるいは何かのはやし言葉のように、どこまでも軽くあしらってみせる場合もある。[*23]

こうしたウルフの言葉の戯れは、男たちの論理的な言葉によって硬直してしまった文学の世界を揺り動かす働きがあると言えるかもしれません。「女性が演ずるべき役割をもっているとするなら、それは……社会の現存の状態のなかにあって、有限にして一定の、明確な構造をもち、意味を担うあらゆるものを拒否することである[*24]」、こうクリステヴァが述べるように、私たちは「セミオティック」な部分を入り混ぜたウルフのような小説を読むことで、

＊19　ステファヌ・マラルメ フランスの詩人（1842〜98）。象徴派の代表者として、また文学言語の概念に大きな影響を及ぼした詩人として、今日きわめて高く評価されている。代表作に『エロディヤード』『半獣神の午後』など。

＊20　ジェームス・ジョイス アイルランドの小説家（1882〜1941）。斬新な表現手法によって文壇に甚大な衝撃を与えた。大作『ユリシーズ』や実験的小説『フィネガンズ・ウェイク』などが有名。

＊21　ヴァージニア・ウルフ イギリスの女流作家（1882〜1941）。『ダロウェイ夫人』『灯台へ』など、女性独特の感受性に満ちた文体によって、現代小説の技法確立に大きな貢献をした。

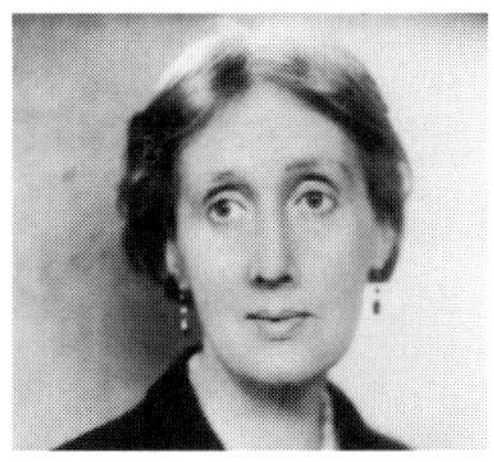

＊22『灯台へ』 V. ウルフ、御輿哲也訳、岩波書店、2004年。

＊23　同書、408ページ。

＊24 *“Oscilation du ‘pouvoir’ au ‘refus’,”* interview by Xavière Gauthier in Tel Quel, no.58 (summer 1974), trans. In Marks and Courtivron, *New French Feminisms*, 166-167.

男性たちが作り上げた言葉の権威性に疑問を抱き、それまで排除されていた、女性的なものへの再評価を迫られることになります。このように考えれば、文学は、読者にフェミニティの価値を認識させる上できわめて大きな役割を果たす存在であると言えるのではないでしょうか。

文学によって虐げられてきた女性たち

メデューサの笑い

クリステヴァ以外にも、フロイトの理論を批判した批評家として、**リュス・イリガライ**[25]や**エレーヌ・シクスー**[26]が挙げられます。とりわけシクスーは、文学作品において女性がいかにミステリアスで不気味な怪物として描かれているかを**『メデューサの笑い』**[27]で指摘したことで有名です。例えば、日本の**『鶴の恩返し』**や**『うぐいす姫』**などの昔話を読むと、女性が人間として扱われず、動物と同等の存在として描写されていることが分かります。また、西洋のギリシャ神話においても、ヘビの髪をもつ恐ろしい容貌のメデューサ[28]や、下半身が鳥の姿であるセイレーン[29]、さらには人魚や魔女など、女性は度々「非人間的」な存在として登場しています。

シクスーは、男たちは歴史を通じ、文学を利用することで、女性たちに女性というジェンダーを恥ずべき存在であると思いこませようとしていたと指摘しました。したがって、今こそ女性たちは、男性から押し付けられている「非人間的な」役割を拒否し、男たちから蔑まれていた女性らしさを誇りに思うべきだと主張しています。実際、シクスーは、「女のリビドー（欲望）のエコノミーが男によっては同定されえず、またそれを男性的エコノミーに帰しえない限り、差異がもっとも明白になるのは性的快楽のレベルにおいてである」[*30]と述べ、男には存在しない、女性としての感受性や喜びを大事にし、それを文学の場で開花させることが必要であると述べて、女性たちに自己表現の重要性を訴えかけました。たとえ、男性たちから理解されることを拒まれても、女たちが自分たちの思いをありのままにつづるのなら、いつかは「女性の、女性による、女性ための」言葉が生まれるはずです。そうした女の言葉こそが、女性を解放し、男性中心的な世界を突き崩すものとなるとシクスーは考えました。

資本主義批判──マルクス主義フェミニズム

クリステヴァやシクスーらが精神分析における女性差別を解明した一方、資本主義と女性の差別構造との関係性にスポットライトを当てたのが、**マルクス主義フェミニズム**でした。マルクス主義フェミニズムはその名のとおり、マルクス主義の影響を強く受けています。マ

＊25 リュス・イリガライ ベルギーの言語学者（1930〜）。ラカンに師事し、フランス国立科学研究センターにて研究生活をおくる。主著に『性的差異のエチカ』『差異の文化のために』『基本的情念』など。

＊26 エレーヌ・シクスー フランスの作家（1937〜）。死をテーマにした『内部』によってメディシス賞を獲得。他に『開始』『ラ』『プロメテアの書』などがあるが、いずれも瞑想的で難解な作品である。

＊27 『メデューサの笑い』 H. シクスー、松本伊瑳子ほか編訳、紀伊国屋書店、1993年。

＊28 メデューサ ギリシャ神話に登場する怪物。目は輝いており、自分を見る人間を石に変える能力を持つ。

＊29 セイレーン ギリシャ神話に登場する海の怪物。上半身が人間の女性で、下半身は鳥の姿とされる。

＊30 H. Cixos, *"Sorties," La Jeune Née*, Paris: Union Générale d'Editions, 1975, translated in *New French Feminisms*, 98.

マルクス主義フェミニズムは男女差別の根源を資本主義に見いだした

ルクス主義が資本主義社会における貧富の差を指摘したのと同じく、マルクス主義フェミニズムは資本主義社会において、女性たちがいかに抑圧され、差別されているのかに注目しました。その先駆となったのは、フランスの作家**モニック・ウィティッグ**[*31]です。彼女は1979年にニューヨーク市立大学大学院で開かれた「第2の性会議」において、「女性は1つの階級である……すなわち「女」というカテゴリーは「男」の場合と同様に政治的・経済的カテゴリーであって、永遠のカテゴリーではない[*32]」という衝撃的な宣言を発表したことで一躍マルクス主義フェミニズムのパイオニアとなりました。

一方で、日本で最も有名なマルクス主義フェミニズムの提唱者はおそらく、社会学者の**上野千鶴子**[*33]であると言えるでしょう。彼女は**『家父長制と資本制』**[*34]において、資本主義の価値観がいかに私たちの女性観に大きく影響を及ぼしているのかについて指摘しています。実際、私たちが生きている資本主義社会では、人間の価値はその人の個性や信条ではなく、その人がどれほど会社で使いものになる（労働力になる）かで決まります。彼女は、こうした資本主義の価値観が広まった結果、私たちの社会は「市場」と「家族」という二項対立のくくりで分けられ、労働力として使える人間は「市場」へ取り込まれる一方、使えない人間は「家族」という領域に追いやられていると非難しました。彼女は、こうした選別こそが、女性差別を生み出している元凶であるとも述べています。

ヒトが、「市場」にとって労働力資源としか見なされないところでは、「市場」にとって意味のあるヒトとは、健康で一人前の成人男子のことだけとなる。成人男子が産業軍事型社会の「現役兵」だとしたら、社会の他のメンバー、たとえば子供はその「予備軍」だし、「老人」は「退役兵」、病人や障害者は「廃兵」である。そして女は、これら「ヒトでないヒト」たちを世話する補佐役、二流市民として、彼らと共に「市場」の外、「家族」という領域に置き去りにされる。*35

市場から追放される女性たち

資本主義が社会を強引に「市場」と「家族」に切り分け、労働力にならない病人や老人を「家族」の領域に追放した結果、彼らを介助しなければならない「家族」の側に莫大なコストが生まれることになりました。こうしたコストを担い、「市場」を支える存在として、資本主義社会は女性を搾取することになります。実際、現代の日本社会において、女性は「市場」で働く男たちのために家事をこなし、退職後の夫の介護をする役割として「市場」から閉め出されています。こうして、女性たちの「家事労働」は「どんな法的・経済的な補償も与えられ」ない、「不払い労働」と化し、男性たちがそのタダ働きの恩恵を被ることで、男女差別の構造はより一層強化されることになりました。上野は、資本主義社会の「市場」と

＊31　モニック・ウィティッグ　フランスの作家（1935～2003）。社会的に強制されたジェンダーの役割を克服することを目指した。小説に『子供の領分』『ゲリラ女たち』がある。

＊32　Monique Wittig, *"One Is Not Born a Woman,"* text of the speech given at the City University of New York Graduate Center, September 1979.

＊33　上野千鶴子　社会学者（1948～）。マルクス主義フェミニズムの地点から、日本のジェンダー問題について論じている。文学論としては、『上野千鶴子が文学を社会学する』が有名。

＊34　『家父長制と資本制』　上野千鶴子、岩波書店、2009年。

＊35　同書、10ページ。

「家族」の区分けを覆さないかぎり、女性たちが抑圧から解放されることはないと主張しています。マルクス主義フェミニズムは、資本主義社会が女性たちの犠牲なくしては機能しないこと、したがって女性の真の解放のためには資本主義というシステムを改変させるより他に手がないことを私たちに訴えているのです。

本質主義批判――社会構築主義フェミニズム

本質主義は男女の性を生物学的な違いと捉える

差異派フェミニズム、マルクス主義フェミニズムに続いて起こったのが、**社会構築主義フェミニズム**でした。社会構築主義フェミニズムは、**本質主義**という考えが、現代における女性差別の根本的原因となっているという点を指摘しました。彼女たちが言う本質主義とは何でしょうか？ **『ジーニアス英和大辞典』**によれば、本質主義とは、「「日本人は……である」「女は……である」といったように、個人は帰属集団に特有の本質を備えているとする考え方[*36]」のことを指します。例えば、私たちは一般的に、男女の違いは生物学的な違いに基づいていると考えています。つまり、女性には子宮や乳房といった、女性特有の「本質」が備わっており、一方で男性にはペニスや精巣という男性特有の「本質」が存在し、そうした違いこそが女を男と区別するものだという思考パターンです。この見地に立てば、男女の区別は自然なものであり、いかなる社会においても男と女の線引きは変わらないはずです。もちろん、社会的、**文化的に形成される「性（ジェンダー）」**の場合は、国によって違うかもしれません。例えば、「女性はおしとやかで黙っているべきだ」という日本人の考え方は、アメリカ人には通じないかもしれませんし、その逆もまたしかりです。しかしながら、やはり**生物学的な「性（セックス）」**の存在なしには、文化的な性差はそもそも意味をもたないと考えるのが一般的な発想なのではないでしょうか？　すなわち、「自然な性（セックス）の違いに基づいて、社会的な役割が形作られる」という考え、それこそフロイトが述べたような「男性と女性をはっきり区別できるのは、解剖学であって心理学ではない[*37]」という発想こそ、本質主義の思考にほかなりません。

私たちの性は社会的に構築されている？

こうした本質主義の考えに反発したのが、社会構築主義フェミニズムでした。とりわけアメリカの思想家**ジュディス・バトラー**[*38]は、社会的な性についてはもちろんのこと、一見社会とは何の関わりもなさそうな生物学的な性でさえ、すでに社会的に構築されていると指摘しています。「セックスが自然な事実のように見えているものは、じつはそれとはべつの政治的、社会的な利害に寄与するために、さまざまな科学的言説によって言説上、作り上げられたものにすぎないのではないか？[*39]」、バトラーはこう述べて、男女の身体的な違いでさえも「自然なもの」とみなすことはできない点を強調しています。

＊36　小西友七編『ジーニアス英和大辞典』（大修館書店、2001 年）の「Essentialism」の項。

＊37　S. フロイト『フロイト著作集第３巻』高橋義孝訳、人文書院、1987 年、465 ページ。

＊38　ジュディス・バトラー　アメリカのフェミニズム理論、セクシュアリティ研究者（1956 〜）。イェール大学で哲学の博士号を取得した後、ヘーゲル哲学を論じた『欲望の主体』などを執筆し、『ジェンダー・トラブル』でフーコーやデリダらの影響を受けたフェミニズム理論を展開した。

＊39　J. バトラー『ジェンダー・トラブル』竹村和子訳、青土社、1999 年、28 ページ。

本質主義を否定するバトラー

それでは、男女の性差とは一体何でしょうか？　バトラーにとって男女の違いとは、単なる演技、つまりパフォーマンスに他なりません。一例として、男の女装について考えてみましょう。フェミニストの多くは、男たちが行う女装を、「女性への冒涜」や「女性への古い固定観念を助長する行為」であると非難します。しかしながらバトラーによれば、女装好きな男は、単にリアルな女をまねようとしているわけではありません。実際、もし女装によって男がいつでも女になれるのであれば、そこにはもはや男女の本質的な区別は存在しないはずです。むしろ、この場合の女装とは、「この世に自然な女性らしさが存在するはずだ」という本質主義の発想をあざ笑う行為であると言えます。すなわち、女装というパフォーマンスは、「男」や「女」といったアイデンティティーが自分自身で自由に選べるものであるという事実を指摘している行為にほかならないのです。こうした点に基づいて、バトラーは、フェミニズムを包括的な運動へと飛躍させるために、女性というカテゴリーそのものを根本的に見直す必要があると述べました。それまで、フェミニズムにおける「女性」の定義とは、男性を愛する異性愛者の女性のみを指していました。しかしながらバトラーは、そうした認識こそが誤った本質主義であるとして否定し、フェミニストは**ホモセクシュアル**や**トランスジェンダー**の女性たちをも仲間に入れるべきだと指摘します。こうした彼女の思想は、やがて**クィア批評**[*40]という、異性愛か同性愛という二項対立に捉われない、新たな性のあり方の研究に大きな影響を与えることにもなりました。

バトラーよりもさらに過激な主張をしているのが、アメリカの科学者**ダナ・ハラウェイ**[*41]です。ハラウェイは**『猿と女とサイボーグ』**[*42]や**『サイボーグ・フェミニズム』**[*43]の中で、男女の

すべての差異を乗り越えるためのサイボーグ

性差のみならず、「人間と動物」や「人間と機械」の違いをも人工的に作られたものとして批判しました。彼女によれば、「男と女」「人間と動物」そして「人間と機械」の線引きは決して生物学的に定義できるようなものではありません。実際、歴史を紐解けば、そうした線引きがなんども権力者の都合の良いように変えられてきたことが分かります。例えば、動物は古代において人間と同じ魂を持つ存在として扱われてきました。しかし、近代以降動物は、魂を持たない下等な存在として人間と区別されるようになっています。[*44] ハラウェイは、そうした線引きを作ることによって、人間たちは動物を資源として搾取することを正当化していると指摘しました。同様に、女性が男性から生物学的に区別されたり、ある特定の人種が劣等民族として科学的に他の民族から線引きされることで[*45]、多くの性的抑圧、奴隷制度、そして**ジェノサイド（大量虐殺）**が正当化されてきたことは言うまでもありません。こうした見地から、ハラウェイは「**サイボーグ**」を、あらゆる差別を打ち砕く象徴として高く評価しています。サイボーグとは、機械と生体との完全なる結合体を指す言葉です。ハラウェイは、もしサイボーグが実現すれば、「人間と機械」の融合によって、「人間」「動物」「機械」の境

＊40　クィア　一般的な異性に対する愛以外のあらゆるセクシュアリティ（同性愛など）を指す言葉。

＊41　ダナ・ハラウェイ　アメリカの哲学者（1944〜）。コロラド大学で生物学と哲学を専攻した後、イェール大学で生物学の博士号を取得。主著『猿と女とサイボーグ』は、それまでの男女の性差を前提とした人間観を否定する命題として学界に大きな影響をあたえた。

＊42　『猿と女とサイボーグ』　D. ハラウェイ、高橋さきの訳、青土社、2000 年。

＊43　『サイボーグ・フェミニズム』　D. ハラウェイ、巽孝之・小谷真理訳、水声社、2001 年。

＊44　こうした傾向への反動として、1970 年代からはオーストラリアの倫理学者ピーター・シンガーをはじめとする、動物の権利を重んじ、動物を人間と同等の存在として扱おうとする人々が現れた。また、イギリスの芸術評論家ジョン・バージャーなどが先駆となった、作品のなかで動物たちがどのように描かれているかを研究する「動物学批評」という領域も誕生している。

＊45　実際、黒人は白人に比べて身体的に劣っているという優生学思想は 20 世紀まで流行していた。最近でも、ノーベル生理学賞を受賞したアメリカの遺伝学者ジェームズ・ワトソンが、黒人は白人よりも遺伝的に知能が低いと発言して問題となった。

界線が消滅すると考えました。サイボーグという「異種混合性」の誕生は、「男と女」「人間と動物」「人間と機械」の二項対立を消し去り、同時に今まで存在していたあらゆる差別がなくなることも意味します。男性を頂点とする現在の階層社会を崩壊させるために、私たちはサイボーグとならなければならない――ハラウェイは私たちにそう投げかけています。

フェミニズム批評の実践

ここでフェミニズム批評の一つの例として、文学者**駒尺喜美**[*46]の批評を見てみましょう。駒尺は**『魔女の論理』**[*47]において、夏目漱石の小説**『行人』**[*48]についてフェミニズムを応用しながら論じています。[*49]主人公の長野二郎は、裕福な家庭で育った次男坊で、大阪に住んでいます。そこに、兄で大学教授である一郎が妻を伴って二郎の家を訪ねてきます。兄の一郎は、妻であるお直との生活に悩んでいました。妻と心を通わすことができず、妻の気持ちを本当の意味で理解することができなかったのです。一郎は、妻の心を知りたいがために、二郎にお直と二人で一泊し、節操を試してほしいとまで考えています。駒尺は、妻の心を理解しようと苦しむ一郎を「妻に心のあることすら忘れ」、女を「自己を慰める物」や「家事雑事をさせる為の存在」としてしか見なしていない現代の男たちに比べて稀有（けう）な人間であると評しています。さらに、漱石がお直を「弱者が強者によってスポイルされた姿として」描いていることにも注目し、漱石を「男と女のセットが、抑圧者と被抑圧者の関係にあること」を突き止めた作家として高く評価しました。しかし一方で、こうした歪んだ関係構造の原因が、男性による女性の経済的搾取にあったことを漱石は見抜けなかったと批評しています。「男は経済力、社会支配力を独占することによって、女を組みしいている。女は、男の経済力に依存して、生きるように仕向けられている」ような日本の経済構造こそが、『行人』に潜む根本的な問題であると駒尺は指摘したのです。

ロレンスの作品における女性像

フェミニズム批評の矛先は、男性だけでなく女性にも向けられています。例えば、**『D・H・ロレンスのフェミニズムを読む』**[*50]の中で、英文学者の**朝日千尺**[*51]は、**デイヴィッド・ハーバート・ロレンス**[*52]の小説**『息子と恋人』**[*53]に登場する主人公ポールの母親モレル夫人をフェミニズムの視点から批評しています。[*54]モレル夫人は、炭鉱夫であるウォルター・モレルと衝撃的に結婚しますが、知識階級出身の彼女は下層社会に属する夫の無学を軽蔑し、すぐに心が離れてしまいます。彼女は夫に幻滅した結果、今度はその満たされぬ思いを息子たちに向けるようになり、果てには息子ポールの恋愛にまで干渉するようになっていきました。朝日によれば、いつまでも男に依存し続けるこうしたモレル夫人は、「真の女性性を見失って」おり、「女であることにめざめていない」眠れる女性です。このように、私たちはフェミニズ

＊46　駒尺喜美　文学者（1925～2007）。夏目漱石や芥川龍之介の作品をフェミニズムの視点から批評し、近代文学研究に新しい境地を開いた。

＊47　『魔女の論理』　駒尺喜美、エポナ出版、1978年。のち不二出版、学陽書房、現在は、天野正子他編『フェミニズム文学批評』岩波書店、2009年、所収。

＊48　『行人』　夏目漱石、新潮社、1952年。初出は1912～13年に朝日新聞にて連載。

＊49　駒尺、前掲書、33～43ページ。

＊50　『D・H・ロレンスのフェミニズムを読む』　朝日千尺、英宝社、2000年。

＊51　朝日千尺　文学者（1932～2004）。近畿大学教授。イギリス文学を専攻し、主にヴィクトリア朝期の小説やロレンスの作品を研究した。

＊52　デイヴィッド・ハーバート・ロレンス　イギリスの小説家（1885～1930）。貧しい炭坑労働者の子に生れ，ノッティンガム大学に学んだ。現代の物質文明を憎悪し，自然な本能としての性愛に帰ることを強調。『息子と恋人』『虹』『恋する女たち』などの長編小説がある。

ムを応用しながら文学作品を分析することで、男女の社会構造について理解を深めることができるのです。

桃太郎とフェミニズム

それでは最後に、『桃太郎』に対するフェミニズム批評を考えてみましょう。まず注目したいのは、「おじいさんは山へ柴刈りに、おばあさんは川へ洗濯に行きました」というフレーズです。そもそも、なぜおじいさんは仕事をして、おばあさんは家事をしなければならないのでしょうか？　マルクス主義フェミニズムの見方に立てば、おばあさんはただ自らが女性であるゆえに、不当に家事を押し付けられていると解釈できます。『桃太郎』は労働を、「柴刈り」というお金を生み出す仕事と、「洗濯」というお金を生み出さない仕事に分け、不当に女性だけを「洗濯」というタダ働きに縛り付けていると批評できるかもしれません。

また、主人公である桃太郎が男であるという事実も再考する必要があるでしょう。実際、桃太郎は暴力をもって鬼を懲らしめ、世界に秩序をもたらす勇敢な人間として物語の中で描写されています。ここで、「暴力」「秩序」「勇気」といった、いわゆる男性的なフレーズが桃太郎と結び付けられていることに注目してください。桃太郎が勇敢で力強いというイメージは、そのまま日本の社会が要求する、男らしさのイメージにつながるのではないでしょうか？「男は多少乱暴でもいいから勇ましい人間になるべきだ」「男は行動的で、リーダーシップがある方が望ましい」といった社会的なイメージが、桃太郎に集約されていると言え

『桃太郎』における男女差別

るかもしれません。そうであれば、男と女の違いとは本質的なものではなく、文化や社会によって形成されることを社会構築主義フェミニズムの視点から批評することが可能です。このように、フェミニズム批評は、物語に登場する女性の立場から作品を分析したり、女性の読者という視点から物語を分析することによって、今まで見えてこなかった『桃太郎』の新しい読み方を生み出すことができます。

＊53 『息子と恋人』 D. H. ロレンス、小野寺健・武藤浩史訳、筑摩書房、2016 年。

＊54 朝日千尺、前掲書、5〜22 ページ。

＊55 オードリー・ロード アメリカの作家(1934〜92)。人権運動にも積極的に参加。彼女の詩には黒人女性として彼女が受けた差別への怒りと悲しみがにじみ出ている。邦訳では『ザミ　私の名の新しい綴り』(『世界文学のフロンティア第 5 巻』今福龍太訳、岩波書店、1997 年) がある。

コラム

もう1つの「フェミニズム」

1979年9月、ニューヨーク大学大学院で開かれた「第2の性会議」では、先に挙げたウィティッグ以外にも、1人の黒人女性がフェミニズムの歴史に残る有名な演説を行いました。「主人の道具は決して主人の家を取り壊すことができない」（The Master's Tools Will Never Dismantle the Master's House）と題したそのスピーチで、彼女はアメリカのフェミニズム運動がいかに欺まんと差別に満ちているか、きわめて痛烈に批判しています。彼女こそ、アメリカで黒人の手によるフェミニズム運動を初めて提唱した、**オードリー・ロード**[*55]でした。詩人であり、人権活動家でもあるロードは、既存のフェミニズムが中産階級の白人女性たちによって主導されており、黒人女性や同性愛者が運動から締め出されていることを指摘します。そして、もしフェミニズムがこのまま白人たちによって独占され、白人女性の利益ばかり追求し続けるなら、それは抑圧的な家父長制システムとなんの変わりもないと非難しました。もちろん、文化も背景も全く違う第三世界の女性たちの声に、白人のフェミニストたちが耳を傾けることは難しいかもしれません。しかし、ロードはこうした課題はフェミニズムが無視できるものではなく、むしろ彼女たちの責務であると述べました。今日、ロードの主張は、フェミニズムが決して民族差別や階級差別と無関係ではないこと、また女性というカテゴリーの中においてさえ、抑圧構造が潜んでいるという事実を私たちに突きつけるものとなっています。

第8章
鬼とは一体何者なのか？
――ポストコロニアル批評

「コロニアリズム」という悪夢

ある穏やかな日の午後、あなたが家でくつろいでいると、見知らぬ男たちが突如として家の中に侵入してきます。彼らは問答無用で家に居座り、あなたの寝室やリビングやキッチンを勝手に使い始めます。あなたは何度も彼らに出て行ってくれと頼みますが、彼らは銃を手に持って、自分たちの言うことを聞かないなら撃ち殺すぞ、とあなたを脅します。あなたは恐怖のあまり、何もできません。結局、あなたは彼らの命令の従い、奴隷として生きることになってしまいました。まさに悲劇としか言いようがありません。

しかし、長年の時を経てついにあなたは解放の時を迎えます。隙を見て、あなたは彼らの銃を奪い取り、反撃を開始したのです。あなたは無事男たちを家から追い出し、解放の日を迎えることができました。めでたしめでたし……でも、ちょっと待ってください。男たちがいなくなったあと、あなたがあらためて家の中を見渡すと、状況が昔とはまったく違うことに気づきます。男たちが家の中を勝手に改装し、好き勝手に使っていた結果、家の中はすっかり変わってしまいました。ソファがあったところにはテーブルが置いてあり、お気に入りのたたみの部屋は洋式の部屋へと模様替えされています。好きだった俳優のポスターにはなんと、落書きがされていました。男たちが来る前の状態がどんなだったか、思い出すのが難しいほどです。

その時、あなたが感じる怒りや苛立ち、そして困惑の感情こそ、ポストコロニアリズムの原点です。20世紀半ばまで、アフリカやアジアの人々にとってヨーロッパ人の存在は、ちょ

コロニアリズム――外国人による経済的な搾取

うど冒頭で述べた男たちのような「侵入者」でした。ヨーロッパ人は彼らの国々に武力で押し入り、彼らの土地を勝手に占領して、欲しいものは何でも奪っていったのです。それだけに止まらず、彼らは地元のアフリカ人やアジア人たちを奴隷のようにこき使いました。このように、武力によって外国の土地を占領し、先住民から利益を搾り取る経済システムを**「コロニアリズム（植民地主義）」**と呼びます。「植民地」とは、暴力によってヨーロッパ人に占領された地域のことを指しています。コロニアリズムは、ヨーロッパ人に膨大な富をもたらした一方、多くのアフリカ人やアジア人を半永久的な貧困状態へと追いやりました。さらに、ヨーロッパ人はごう慢にも、自分たちの文化がアフリカやアジアの文化よりも優れていると錯覚し、ヨーロッパの文化を無理やり先住民に押し付けるようになります。結果として、今まで栄えていた地元の文化は消滅し、ヨーロッパの植民地には西洋の建築物、言葉、芸術がひしめくようになりました。

しかし、第二次世界大戦の勃発によって状況は一変します。広大な植民地を持っていたイギリスやフランスはこの戦争に勝利しましたが、一方で国力を大いに疲弊させました。アフリカやアジアの人々はこの機に乗じて次々に独立運動の狼煙（のろし）を上げ、やがてこうした国々から独立を勝ち取ることになります。ただし、植民地の後遺症は深刻でした。例えば、彼らが住んでいた土地は、数百年にもわたるヨーロッパ人の支配によって、すでに「西欧化」されていています。先住民の伝統的な生活は破壊され、彼らの言葉は奪われ、彼らが今まで築いてきた独自の文化はヨーロッパの文化にことごとく染まってしまいました。もはや、植民地以前の生活には決して戻ることができません。彼らの悲しみはいかばかりでしょう。このように、ポストコロニアル批評とは、独立後も続く植民地支配の文化的な影響と、先住民たちの悲哀に注意を向けていこうとする強い思いがベースにあります。*1

ポストコロニアル批評と私たち

ポストコロニアル批評の視点は、今まで意識されてこなかった、文学の政治的な意味合いを再考するよう私たちに促します。私たちは普段、文学を娯楽産業の一形態としか捉えていません。実際、「文学作品とはあくまでフィクションであり、現実世界とはかけ離れたもの」と考えるのが一般的ではないでしょうか？　それに対してポストコロニアル批評は、文学を現実社会の投影と考えるマルクス主義の影響を受けて、文学作品とは政治的なメッセージを発信するための「強力な武器」であるとみなしました。

文学制度に見られる人種的偏向

その一例として挙げられるのが、大学の文学部です。一般的に、文学部がある大学には、必ずと言っていいほどイギリスやアメリカの文学を研究する部門、いわゆる「英米文学科」が設置されています。もちろん、英米文学の作品の中には優れた芸術的価値を持ち、不朽の名作と呼ばれているものが少なくありません。したがって、英米文学の研究が大学で行われていることには納得できます。しかしその一方で、アフリカ文学の研究科や東南アジア文学の研究科の数が、英米文学のそれと比べると圧倒的に少ないのはなぜでしょうか？　常識で考えれば、アフリカや東南アジアの文学も、英米文学に劣らず芸術的な価値を持っており、研究に値する作品が存在するはずです。それにもかかわらず、大学機関において、これらの文学がほとんど無視され続けているのはなぜでしょうか？

さらに、世界に目を向けてみると、ノーベル文学賞の偏り（かたよ）りという問題も指摘できるかもしれません。文学賞の最高権威と謳われているノーベル文学賞の受賞者で最も多いのが英語圏の出身者です。実際、過去120人の受賞者のうち、英語で執筆した作家は29人と、2位のフランス語（15人）に大差をつけてダントツ1位です。一方、アフリカ出身の受賞者はわずか4人、しかも全員が英語による著作での受賞となっています。アジア出身の受賞者も7人しかいません。こう考えると、「ノーベル文学賞という制度が、アジアやアフリカの作家を無視し、西洋の文学作品ばかりを持ち上げている」という非難にも、一理あるのではないでしょうか。

コロニアリズムの影響を文学から排除する

ポストコロニアルの批評家は、このように文学研究の領域を欧米の文学に限定したり、欧米の文学作品ばかりを傑作として表彰したりすることは、欧米の文化を他の文化よりも優れていると考える、コロニアリズムの影響が残っているからだと主張します。冒頭でも触れたように、ヨーロッパの植民地では、シェイクスピアの戯曲やキーツの詩に代表される欧米の

＊1　中根隆行「ポストコロニアリズム」『日本近代文学』90巻、日本近代文学会、2014年、181～182ページ。

文学が「優れた古典」として輸入され、先住民は強制的にそうした作品を学ばせられました。ヨーロッパ人たちは、母国の文学を植民地に住む先住民に学ばせることで、いかにヨーロッパの文化が優れているのか、彼らに教え込もうとしていたのです。今日、西欧の植民地はそのほとんどが独立を果たしており、植民地だったアジアやアフリカの国々は、ヨーロッパと対等な関係にあるはずです。しかしながら、文学の世界では依然として、欧米文学ばかりがもてはやされ、時代を超えた傑作として権威づけられています。ポストコロニアルの批評家にとっては、これこそ植民地主義の悪しきなごりにほかなりません。彼らはこうした文学の制度を是正しようと、さまざまな運動を行ってきました。この章では、ポストコロニアル批評の代表的な理論をいくつか紹介し、ポストコロニアル批評が不平等な社会の現実を変えるためにどのような役割を担っているのかについて検討していきます。

オリエンタリズム――ポストコロニアル批評の原点

ポストコロニアリズムの先駆者としては、ナイジェリアの作家**チヌア・アチェベ**[*2]が有名です。彼は小説を通して、ヨーロッパ人の支配によってアフリカの伝統文化がいかに汚されてしまったのか、その苦痛と悲しみを表現しました。しかしながら、彼はあくまでも作家であり、ポストコロニアル批評に関する何らかの理論を打ち立てるという試みは行っていません。ポストコロニアル批評を初めて理論として確立させたのは、パレスチナ出身のアメリカ人で批評家の**エドワード・サイード**[*3]であると言えます。彼は1978年に著した**『オリエンタリ**

アジアに対する西洋人たちの偏見を暴露する

ズム』[*4]において、西洋人たちの欺まんを痛烈に批判しています。この中でサイードは、西洋人たちが作り上げた、「**オリエンタリズム**[*5]」という学問に注目しました。彼が疑問に思ったのは、「ヨーロッパ人は一体、東洋をどのようなまなざしで研究してきたのか？」という点です。例えば、私たちが現在抱いている「中東」のイメージはどのようなものでしょうか？　おそらく、「テロリストたちの巣窟（そうくつ）」、もしくは「一夫多妻制やヘジャ

エドワード・サイード　photo: Bettmann / gettyimages

＊2　チヌア・アチェベ　ナイジェリアのイボ族出身の作家（1930〜2013）。作風は、ヨーロッパとアフリカの文化接触や、消えていくアフリカの伝統社会への思いを特徴とする。小説『崩れゆく絆』（粟飯原文子訳、光文社、2013年）。

＊3　エドワード・サイード　パレスチナ生まれのアメリカの批評家（1935〜2003）。著作『オリエンタリズム』により西洋が東洋を見る視線にひそむ偏見を暴き、批判した。他に『世界・テキスト・批評家』『文化と帝国主義』など。

＊4　『オリエンタリズム』　E. サイード、今沢紀子訳、平凡社、1986年。

＊5　オリエンタリズム　日本語で東洋学という意味。アジアの言語、歴史、文学、宗教などを勉強する学問のこと。

ブ[*6]」といったイメージが真っ先に思い浮かぶでしょう。しかし、テロリストは世界のどこにでも存在しますし、一夫多妻制やヘジャブはイスラム教の一側面を表しているに過ぎません。そもそも、世界一イスラム教徒の人口が多い国はインドネシアであり、中東にではなく東南アジアにあります。こうした、中東に対する一方的なイメージは明らかな偏見と言えるかもしれません。事実、もし仮にある外国人が、日本のイメージを「サムライ」や「ゲイシャ」であると述べたのであれば、私たちはそれが的外れなものであるがゆえに、すぐさま否定しようとするのではないでしょうか？

もちろんこうした誤解は、私たち一般人の無知に由来するものであるかもしれません。むしろ、国家の最高学府である大学機関で東洋文化を研究している学者には、こうした歪んだ偏見は存在するはずがないと思うことでしょう。しかしサイードは、東洋文化を研究している学者たちこそ、アジアに対する差別と偏見に満ちた人間であると痛烈に批判しました。彼によれば、東洋学を研究する西洋の学者たちは、自ら持っている東洋に対する「野蛮」「未開」「怠惰」などの否定的なイメージを偏見であるとはまったく考えていません。それどころか、こうしたイメージを事実として記録し、大学生たちに教えているのです。[*7]さらにサイードは、こうした差別的なイメージが「東洋学」という「学問」として権威を持つことにより、ヨーロッパ人たちが自分たちの搾取と支配を正当化しようとしていると指摘しました。実際、「イスラム教徒は危険な集団だから、我々が彼らを支配するのは当然だ」「アジア人は纏足（てんそく）[*8]やサティー[*9]といった野蛮な文化を持っているから、我々が正しい文化を教えてあげなければならない」といった口実の下に、ヨーロッパ人たちは長い間植民地支配を正しいものと

西洋人の知識体系がアジア支配を正当化する

考え続けてきました。東洋学とは、このような「**支配の正当化のための理論**」として生まれた学問だったのです。この点についてサイードは、東洋学を「何世代にもわたって相当量の物質的投資が行われてきた……オリエントに関する知識体系」[*10]であると述べ、「オリエンタリズムは、西洋人の意識のなかにオリエントを濾過(ろか)して注ぐための注入フィルターへと作りあげられた」[*11]と指摘しています。サイードにとって、東洋学とは「知のシステム」そのもの、すなわち西洋の学者、政治家、作家、思想家といった権力者が、偏見や差別意識に基づいて形作った学問の構造システムなのです。

しかも、私たちはこのシステムの中に生まれながらにして組み込まれています。事実、私たちが大学で学ぶ東洋についての知識は、彼によれば西洋側の知的検閲を経て輸入されたものです。言いかえれば、西洋人の差別意識というフィルターを通った知識であり、私たちはそれらを盲目的に取り入れてしまうことで、すでに彼らの共犯者となっています。さらに、もし私たちがそのことに気づかないまま東洋学の研究者となり、その権威者となってしまえば、私たちは差別意識を無意識のうちに肯定し、差別意識を再生産する装置へと変貌してし

＊6　ヘジャブ　イスラム教徒の女性が人前で顔を隠すのに用いるかぶり物のこと。ヒジャーブとも。

＊7　倉持三郎「エドワード・W・サイードのポストコロニアル批評：文学作品と政治的適正」『英語英文学研究』3 巻、1997 年、4 〜 7 ページ。

＊8　纏足　中国で 20 世紀まで行われた、女性の足を小さくする独特の風習。

＊9　サティー　インドの社会的風習で、妻が亡くなった夫の火葬の火で殉死する行為。

＊10　E. サイード、前掲書、7 ページ。

＊11　同書、同ページ。

まいます。このように、たとえ私たちがアジアをありのままに見ようとしても、西洋人の大学システムから受け継いだ差別意識によって、私たちの目は曇ってしまい、その姿を捉えることができません。したがって、私たちはこうした差別の構造に気づかない限り、その権威から逃れることはできないと言えるでしょう。

文学制度にひそむ人種差別

文学研究における差別構造

東洋学のみならず、サイードは**『世界・テクスト・批評家』**[*12]において、西洋人の有色人種[*13]への差別意識が現代の文学研究の制度にまで深く及んでいることについても触れています。

> 私が批判しているのは、2つの具体的な憶説である。まず、人文科学のために出されるヨーロッパ中心のモデルが現実に人文学者にとって自然の適切な主題を表しているといった、ほとんど無意識のうちに抱かれたイデオロギー的な憶説である。これを支える権威は幾世代も通して伝達されてきた文学的記念碑の正統の正典から来るのみならず、この連続性が生物学的な生殖連鎖の血縁的な連続性を再生産していく過程からも来るのである。ここで結果として出てくるのは何らかの類いの秩序の代替物であって、この過程の中では非人文学的、非文学的、非ヨーロッパ的なものはすべて構造体の外に留めおかれることになる。……血縁関係が養子縁組関係の構造の中で再生産され、（私たちのほうも言語や伝統という系列に属するように）その関係が私たちに所属するものを表す時の再

現の過程は、知ることの可能なものを犠牲にして既知のものを強化することになるのである。*14

ここでサイードが提起しているのは、ほとんどの文学研究者が西洋の文学作品ばかりを対象にしているという問題です。前にも述べたとおり、アフリカ人やアジア人が書いた「非西洋文学」は、西洋文学と比べて明らかに研究の対象としては軽視され続けています。もちろん、西洋の文学作品がアフリカの文学やアジアの文学よりも価値があるという正当な理由があるのなら、なんの問題もないでしょう。しかし、サイードによれば、そこには合理的な理由がまったくありません。どの地域の文学も、それぞれ等しく研究されるべき価値があるのです。

では、なぜ現代にいたるまで西洋文学ばかりが取り上げられているのでしょうか？　サイードは、この現象がヨーロッパのコロニアリズムに根ざしていることを最初に指摘した人の1人でした。繰り返しますが、20世紀の前半まで、アフリカやアジアの多くの国々はヨー

＊12　『世界・テクスト・批評家』　E. サイード、山形和美訳、法政大学出版局、1995年。

＊13　有色人種　黒人やアジア人などの、皮膚に色が付いている人種のことを指す。もっとも近年ではこうした言い方が、すでに白人を色が付いていない「普通の」人種として特権化しているという指摘もある。

＊14　E. サイード、前掲書、35〜36 ページ。

西欧の優位性を示すための道具となった文学

ロッパ諸国の支配下にあり、西洋人たちは本国の文学を先住民たちに学ばせることで、自分たちの文化の優越性を誇示しようとしていました。言いかえるなら、西洋文学の尊さを教え込むことによって自分たちの植民地支配を正当化すると同時に、西洋文学を理解しない者を野蛮人として学問の領域から追放することで、白人を頂点とする階層社会を作り上げていったのです。サイードは、白人作家を対象としている今の文学研究制度を、こうした植民地支配のなごりであると指摘しました。すでに植民地支配が終わって久しいにもかかわらず、現代の研究者は依然として植民地時代の伝統を引きずっています。今なお研究者のあいだで代々受け継がれているこの伝統は、まさに世襲政治となんの変わりもありません。サイードは、文学研究という、本来ならば偏見や差別から隔離されているべきはずの学問の領域にさえ、身内びいきと偏見が未だにまかり通っているという事実を私たちに訴えています。

サイードの著作は、それまで植民地時代の栄光にぬくぬくと甘んじていた大学の研究者たちに平手打ちを食らわせ、従来の「文学研究」の領域から追放されていた「非西洋文学」に私たちの注意を向けさせました。実際、彼が１９８３年に『オリエンタリズム』を発表して以降、多くの文学者たちがアフリカやアジアの文学の研究に取り組み始めることになります。それだけではなく、アフリカ系やアジア系の研究者たちが、白人作家の作品を自分たちの視点から批評するといったアプローチも生まれました。その結果、それまで西洋文学の傑作とされてきた**ジェーン・オースティン**[*15]や**ラドヤード・キップリング**[*16]などの作品に対しても鋭い批評の目が向けられるようになります。サイードの指摘は、こうした新しい研究分野への視座が生まれるきっかけとなったのです。

『黒い皮膚・白い仮面』

コロニアリズムが植え付けた精神的外傷

サイードがアメリカで活躍する以前に、ヨーロッパでポストコロニアル批評のリーダーとなったのが、フランス領西インド諸島で生まれた精神科医**フランツ・ファノン**[*17]でした。彼はポストコロニアル批評の歴史においてきわめて重要な評論を残しています。それは、1952年にわずか27歳にして書いた**『黒い皮膚・白い仮面』**[*18]です。この作品は、植民地主義が先住民に与えた心理的影響を深く考察した、世界で初めての著作として有名になりました。この中でファノンは、アフリカの人々が白人の植民地支配によって受ける精神的な苦痛について解説しています。その苦痛とはずばり、「黒人は人間ではない」という、「ヨーロッパ人によって押しつけられた裂け目を受け入れる瞬間」[*19]に彼らが感じる苦痛です。植民地において、絶大な権力を持った白人たちは、アフリカ人にとって恐怖の存在である一方、羨望（せんぼう）の対象でもありました。実際、彼らは白人たちを崇拝するあまり、「白人の域にまで上昇しようと」必死に努力します。しかし同時に、彼らは黒い皮膚を持つゆえに、自分たちが絶対

＊15 ジェーン・オースティン イギリスの作家（1775～1817）。若い男女の恋愛や縁談を好んで題材としており、思想的な深みには欠けるが、その聡明で的確な性格描写、構成の巧みさはイギリス小説中屈指のもの。作品に『高慢と偏見』『マンスフィールド邸園』など。

＊16 ラドヤード・キップリング イギリスの小説家（1865～1936）。インド、海洋、ジャングルなどを題材とする短編小説によって名をあげたが、その人気を支えたものは当時の帝国主義的な風潮であった。代表作『ジャングル・ブック』。

＊17 フランツ・ファノン アルジェリアの精神科医、革命家、小説家（1925～61）。フランスで精神医学を学びながら評論活動を開始し、白人社会における黒人の矛盾した立場を分析した『黒い皮膚、白い仮面』を発表して注目を浴びる。白血病のためニューヨークで客死。

＊18 『黒い皮膚・白い仮面』 F. ファノン、海老坂武・加藤晴久訳、みすず書房、1998 年。

＊19 同書、104 ページ。

に白人そのものにはなりきれないことも自覚せざるをえません。結局、アフリカ人たちの希望は砕かれ、彼らは精神的に深い傷を負ったまま、強い劣等感を抱くようになります。ファノンは、こうしたアフリカ人の心の葛藤を明るみに出すことで、白人たちがアフリカ人の生活のみに止まらず、彼らの内面をも侵していると痛烈に非難しました。白人たちの植民地支配が続くかぎり、アフリカ人はいつまで経っても不満とトラウマから解放されないとファノンは訴えたのです。

彼の批評はとりわけ、ヨーロッパの知識階級に大きな衝撃をもたらしたと言われています。ファノンが「西洋文化＝善」というくくりを否定したことは、それまで受け入れられていた既存の社会体制に対して、知識人たちが疑問を抱くきっかけになりました。とりわけ、フランスの哲学者**ジャン＝ポール・サルトル**[*20]はファノンの主張に深く共鳴し、**『地に呪われたる者』**[*21]に寄せて自ら序文を書いています。こうして、彼のポストコロニアル思想は、「西洋＝善／東洋＝悪」の二項対立を揺さぶることでヨーロッパにおける脱構築批評の下地を作ることにもなったのです。

ハイブリディティ

今日、サイードやファノンはポストコロニアル批評の先駆者とみなされています。彼らは執筆を通してポストコロニアル批評の発展に努めると同時に、現実の政治にも熱心に取り組みました。例えばファノンは１９５０年代にアルジェリアの独立運動に参加し、フランスの植民地支配に真っ向から反対しています。「アフリカの男よ！　アフリカの女よ！　武器を持て！　フランス植民地主義に死を！」という彼のスローガンは、当時多くのアフリカ人を独立運動へ駆り立てるものとなりました。サイードもまた中東問題について積極的に発言し、パレスチナ民族評議会の一員としてパレスチナ人の権利を一貫して擁護しています。

初期ポストコロニアル批評の二項対立的な世界の把握

一方で、「彼らの視点は植民地の実情を正確に把握していないのではないか」という批判の声もあがりました。サイードにせよファノンにせよ、良くも悪くも植民地の世界を「支配する者／支配される者」「西洋＝悪／東洋＝善」という固定的な二項対立で捉えており、それ以外のカテゴリーを認めません。こうした断定的な解釈に反発して、民族という概念をもっと多角的に考えようという動きが1980年代に起こりました。このポストコロニアル批評第二世代の旗手が、インド出身の**ホミ・バーバ**[*22]です。彼は**『文化の場所』**[*23]において、**「ハイブリディティ**（hybridity）」というユニークな概念を提唱しました。「ハイブリディティ」とは、一般的に雑種、混成物、混ぜ合わせなどを意味する言葉ですが、バーバはここで「ハイブリディティ」を、植民地者が本国の文化を植民地に持ち込むことで誕生する、新しい文

「ハイブリディティ」によって可能となる抵抗

＊20　ジャン＝ポール・サルトル　フランスの哲学者・文学者（1905～80）。現象学に刺激を受け、実存主義者として戦後文学の知的指導者となり、『現代』誌を創刊。のち、共産主義に接近、文学者の政治参加を説いて自らも実践。論著『存在と無』『弁証法的理性批判』など。

＊21　『地に呪われたる者』　F. ファノン、鈴木道彦・浦野衣子訳、みすず書房、2015年。原著は *Les Damnés de la Terre*, 1961.

＊22　ホミ・バーバ　インド出身の批評家、文学者（1949～）。ポスト構造主義の影響を受け、ポストコロニアル批評の分野に独自の理論を打ち立てた。主著に『文化の場所　―ポストコロニアリズムの位相―』がある。

＊23　『文化の場所』　H. バーバ、本橋哲也ほか訳、法政大学出版局、2012年。

化という意味合いで用いています。「ハイブリディティ」は、白人たちが西洋文化を植民地に導入したことから始まります。西洋文化の到来に対して、先住民たちは白人たちへの恐れと憧憬（しょうけい）の気持ちから、白人たちの生活スタイルや習慣をすすんでまねようとします。しかし、そもそも白人の文化が彼らには馴染みのないものであるために、彼らの模倣行為は不自然でわざとらしい、不完全なものとなります。このぎこちない西洋文化の模倣こそ、「ハイブリディティ」と呼ばれる新しい文化です。バーバは『文化の場所』において、この未熟な模倣こそ、白人たちの脅威であると主張しました。

植民地主義言説の権威に対して擬態は、深刻な撹乱効果を持つ。……擬態（ミミクリ）と茶化し（モッカリ）との中間領域から、私の言う植民地的模倣の事例が現れる。これらの事例はすべて、擬態のアンビヴァレンス（ほとんど同一だが完全には同一でない）によって生み出された過剰またはずれが、言説に「裂け目を入れる」だけではなく、植民地的従属主体を「部分的」存在として固定する不確定性に変わってしまうような言説過程を共有している。ここで「部分的」とは、「不完全な」と「仮想の」と言う両方の意味をもつ。それはあたかも「植民地人」の表象が、支配の言説自体の内部においてなんらかの戦略的限界または抑止が生じてはじめて、表れるかのようだ。植民地的領有が成功するためには不適切な客体の増殖が必要であり、これが領有の戦略的失敗を確実にする結果、擬態は類似であると同時に脅威ともなるのである。*24

植民地は重層的な差別構造を内に秘めている

バーバによれば、白人の支配下にある先住民が白人の文化をまねる行為は、それが滑稽であるだけに、かえって支配者側の文化の権威を損なうものともなりえます。例えば、学校で生徒から鬼教師として恐れられている先生を思い浮かべてみましょう。その先生が鬼のように厳しく指導するあまり、生徒たちはみんな戦々恐々としています。しかし、もし生徒の1人が教室の後ろでこっそりその先生のまねをしたら、どうなるでしょうか？　きっと思わずみんな笑ってしまうでしょう。つまりこの生徒が行うモノマネは、鬼教師の威厳を損なうという意味で脅威となり得るのです。同じように、先住民が白人たちの動作や習慣を皮肉った調子でまねることは、支配者への政治的反抗につながります。バーバは、こうした「滑稽な模倣」というアクションによって、ヨーロッパ文明の絶対性をぐらつかせることができると考えていたのです。

このようにバーバは、それまで正しい区分とみなされていた「支配者の文化／支配される者の文化」というくくりの他に、2つの文化が融合して作られる「ハイブリディティの文化」[*25]を提唱しました。そして同時に、植民地主義に対する、暴力によらない新しい形の抵抗

*24　同書、149ページ。

*25　バーバは、西洋人の文化が先住民の文化を淘汰するのではなく、2つの文化が融合した「第3の空間（third space）」が植民地に誕生するとも述べている（同書、109ページ）。

運動の可能性を示したのです。

女性たちの声なき声

一方、植民地の先住民を「被支配者層」として一くくりにするのではなく、その層の内部に潜む差別構造を暴こうとする批評家も1980年代に登場しました。ポストコロニアル批評の女帝と呼ばれる、インド出身の**ガヤトリ・チャクラヴォルティ・スピヴァク**[*26]です。彼女はフェミニズムのアイデアをポストコロニアル批評に取り入れたことで有名であり、また脱構築批評の旗手ジャック・デリダの代表作『**グラマトロジーについて**』[*27]を英訳したことでも知られています。彼女が1988年に著した代表作『**サバルタンは語ることができるか**』[*28]では、長年虐げられ、無視され続けてきた植民地下における女性の権利について鋭い視線を向けています。[*29]少し長いですが、まずは読んでみましょう。

女神アテネ[*30]のような形象――「子宮によって汚されていないとみずから称する、父から生まれた娘たち」――は女性たちのイデオロギー的な自己貶価（へんか）（価値を不当に下げること――引用者）を確立するのに役だつものであって、これと本質主義的なかたちで定立されている主体にたいする脱構築的な態度とは区別されなければならない。神話に登場するサティーの物語も、サティーの儀式の物語素のひとつひとつをことごとくひっくり返していきながら、類似の機能を遂行している。生きている夫が妻の死に復讐する。そして、偉大な男性神同士のあいだのやりとりが女性の身体の破壊を達成し、かくては大地を神聖な地誌として書きこむのである。これを古典的なヒンドゥー教がフェミニズムであることの証拠であるとか、インド文化が女性神を中心に置いており、それゆえにフェミニスト的であるということの証拠であると見るのは、サティーという固有名から輝ける戦う母ドゥルガーのイメージを消去して、それにわが身を犠牲に供することによってはじめて救われる寄る辺なき寡婦の焼身の儀式という以上のなんの意味もあたえないのが帝国主義的であるのと同じくらい、イデオロギー的にネイティヴィズムあるいは裏返しの自民族中心主義に毒されているというほかない。性的にサバルタンの地位に置かれた主体がそこから声を発することのできる空間は、ここには存在しないのである。*31

全く意味不明な文章だと思われた方もおられるかもしれません。このスピヴァクの主張を紐解くには、まずはここで述べられている「サティー」という言葉について知る必要があります。インドにはサティーという、亡くなった夫の遺体を焼いた火で妻が後追い自殺する儀

＊26　ガヤトリ・チャクラヴォルティ・スピヴァク　インド出身のアメリカの批評家(1942～)。脱構築主義者であるとともに尖鋭なマルクス主義者、またフェミニストでもあり、とくに第三世界の抑圧された人々に目を向ける。著書に『サバルタンは語ることができるか』『ポストコロニアル理性批判』など。

＊27　『グラマトロジーについて』　J. デリダ、足立和浩訳、現代思潮新社、2012年。

＊28　『サバルタンは語ることができるか』　G. C. スピバック、上村忠男訳、みすず書房、1998年。

＊29　サバルタンとは、植民地において最下層に属する、主に教育を受けていない女性たちのことを指す。同書72ページ。

＊30　女神アテネ　ギリシャ神話の代表的女神。父神ゼウスが自分の妻メティスをのみ込んでしまったため、アテネはゼウスの頭から生まれたといわれている。

＊31　G. C. スピヴァク、前掲書、111～112ページ。

サティーは誰のための儀式か?

式がありました。[*32] 中には貞淑な女性としてすすんで炎に身を投じる人もいましたが、一方でまわりの親族からの圧力によって妻が強制的に自殺させられるケースもあったと言われています。当然ながら、これは私たち日本人にとって極めて残酷な儀式に聞こえます。実際、当時インドを植民地としていたイギリス人たちも同じように感じ、1829年にはサティーを禁止しました。しかし、スピヴァクは、イギリス人たちをかわいそうなインドの女性たちを救ったヒーローとして見るのではなく、サティーという儀式をもっと多様な観点から見るよう読者に促しています。彼女はまずはじめに、サティーはインド神話のヒロインであるサティの名前から取られていることに注目しました。サティはヒンドゥー教の女神で、彼女は自分の父親が夫であるシヴァ神を冷遇したことに腹を立て、焼身自殺を遂げたと言われています。彼女の死を知って怒りと悲しみに駆られたシヴァは、サティの遺体を持ち上げながら多くの都市を破壊して回りました。サティの遺体は周囲に飛び散り、破片のひとつひとつが落ちた場所が聖地となります。

ここで注意したいのは、この神話におけるサティの行動と、実際のサティーの儀式がまったく異なっているという点です。サティーの儀式では、夫が死んだ後にその妻が自殺します。一方、神話では夫であるシヴァは死んでいませんし、サティは貞淑な妻というよりも、荒々しい行動的な神として描かれています。スピヴァクは、イギリス人がサティーの儀式について語るとき、主体的に行動する女性としてのサティの神話を考慮に入れていないとして、「イギリス人＝インド女性の救世主説」を否定しました。彼女によれば、この儀式はそもそも女性の積極性や勇気を表すものだったのです。しかしイギリス人は、インド文化史の重要

インドの女性たちの声はかき消されている

な一面であるこの儀式を根絶しようとしており、しかも死にゆく当の女性たちの感情など一顧だにしません。イギリス人は独善的に、サティーを野蛮な文化として断罪し、それを禁止することで、自らをヒーローに仕立て上げようとしているに過ぎないのです。

しかしながら興味深いことに、スピヴァクは、このサティーの儀式を擁護する立場も拒絶しています。インドのエリート層や民族主義者の中には、サティーを肯定し、この儀式を女性の主体性の象徴と見なして、フェミニズムに結びつけようとした人たちがいました。「女性たちは実際に死ぬことを望んでいた」[*33]「サティーへ向かう女は勇敢である」[*34]というのが彼らの主張です。しかしスピヴァクはこうした考えも**土着主義**[*35]の一形態に過ぎないとして退けました。彼女がむしろ指摘したのは、どちらの側にも後追い自殺をした女性たちの声が含まれていない、という点です。イギリス人の主張にしろ、インド人の主張にしろ、男たちは自分たちの価値観を正当化するばかりで、サティーの当事者である現地の女性たち、すなわち「サバルタン（支配される人々）」の本当の声に耳を傾けることはありません。スピヴァクいわく、インドの女性たちは「暴力的なアポリア（矛盾）に追い込まれ」ています。このように

＊32　同書、81ページ。
＊33　同書、82ページ。
＊34　同書、同ページ。
＊35　**土着主義**　社会から外国人もしくは外国起源の文化要素をなくそうとする運動のこと。

スピヴァクは、植民地の人々を決して1つのグループとして捉えることはできないこと、そして西洋の研究者たちやインドの男たちのいずれも、**男性至上主義**の考えに影響されているゆえに、最下層に位置する植民地の女性たちの心境を代弁することはできないことを訴えました。

文学理論の中のポストコロニアル批評

ここまで見てきたように、ポストコロニアル批評は他の文学批評、とりわけ脱構築批評や精神分析批評と密接に関わっています。前述したポストコロニアルの批評家であるファノンが精神分析家でもあったように、ポストコロニアル批評は精神分析の手法を応用して、植民地支配にひそむ白人たちの支配欲の原理を暴こうとしました。そもそも、精神分析とは、私たちが普段気づかない無意識の感情を見出す研究です。ファノンは精神分析を応用して、ヨーロッパ人自らが自覚していなかった差別意識を明るみに出したと言えるでしょう。また、それまで普遍的かつ絶対的なものと思われていた西洋文化の優位性を覆す試みは、脱構築批評の発展にも貢献しました。さらにポストコロニアル批評は、フェミニズムの思想を取り入れることで、それまで学術界から黙殺されていた植民地の女性たちに注意を向ける、スピヴァクのような理論も生み出しました。

しかしながら、ポストコロニアル批評の最大の貢献は、精神分析批評や脱構築批評を現実の政治問題へ適用した点にあると言えるかもしれません。それまでの精神分析批評は、個人

文学研究を政治的なものとしたポストコロニアル批評

の無意識に注目するあまり、社会との関わり合いがきわめて薄い存在でした。また、脱構築批評も言葉の二項対立ばかりをひっくり返し、現実の社会を変革しようとする動きはあまりみられませんでした。一方、ポストコロニアル批評はこれらの文学批評の手法を社会的、政治的な運動に導入することに一役買っています。実際、中東におけるイスラエルとパレスチナの紛争、グローバル企業による経済支配、アメリカの世界戦略、さらには中国によるアフリカや東南アジアへの経済的進出など、私たちが今直面している国際問題にまでポストコロニアル批評は取り組むことが可能です。こう考えると、古典作品から時事問題まで、ポストコロニアル批評の守備範囲はとても広いと言えます。

複雑な位置にいる日本人

ポストコロニアル批評と日本人

私たち日本人は、ポストコロニアル批評を前にして、きわめて微妙な立場にいます。日本は西洋の植民地支配を受けることこそありませんでしたが、文化の面においては、明治以来絶えず西洋の影響を受け続けてきました。一例として、明治の啓蒙思想家である**福沢諭吉**は、1885年に**『脱亜論』**を著し、「脱亜入欧」のスローガンの下、日本人はアジアから離脱し欧米諸国の一員となるべきだと強く訴えかけています。そして実際、当時の日本人の多くが、彼と同じく羨望と畏敬(いけい)のまなざしを白人たちへ向けていました。この観点から考えると、日本人の心の中にも、ファノンが述べたような、欧米人にあこがれを抱く一方、欧米人になりきれないゆえに生まれる「劣等感」があったと言えるかもしれません。

また、明治時代には多くの日本人が我れ先にと欧米文化を模倣し、欧米人のふるまいやマナーを真似しようとしましたが、当の欧米人にとってその姿はお粗末なものでした。実際、**ピエール・ロティ**[*36]は明治初期の日本人をつぶさに観察し、西洋ダンスをまねる日本人の姿を「わたしには彼らがみな、いつも、何だか猿によく似ているように思える」[*37]と、侮蔑的な言葉で評しています。バーバが指摘したように、欧米人のこうした軽蔑の感情は、日本人たちの「滑稽な模倣」が自分たちの文化を貶(おとし)めているという反感に由来しているのかもしれません。

一方で、日本にはヨーロッパの植民地収奪戦に加わり、20世紀半ばまで朝鮮半島や遼東半島を植民地とし、満州国という傀儡(かいらい)国家によって中国東北部を支配した歴史もあります。日本は植民地を経済的に搾取しただけではなく、自国の文化を朝鮮人や中国人に押し付け、彼らの文化を故意にねじ曲げてきました。しかしながら、ヨーロッパ人と同様、私たち日本人の多くはこうした過去を直視することを避け、また中国人や朝鮮人に対する自らの差別意識に気づくことも滅多にありません。私たちはポストコロニアル批評の手法を当てはめることによって、自らが気づいていないこうした無意識の優越感や偏見に正面から向き合うことができます。

ポストコロニアル批評と文学作品

文学批評としてのポストコロニアル批評は、主に2つのタイプに分けられます。1つ目は、植民地の下にいた人々が書いた文学作品を研究する方法です。ヨーロッパ諸国から独立した後、晴れて自由の身になった人々は、自分たちの伝統的な文化を復活させようとして、数々の作品を生み出してきました。ポストコロニアル批評では、こうした文学作品において、植民地主義の影響から抜け出そうとする試みがどのように描かれているのかに注目します。2つ目のタイプは、ヨーロッパ出身の作家が書いた文学作品が、植民地の現実をどのように描いているのかを分析する方法です。この場合ポストコロニアルの批評家は、作家が抱いている差別意識が作品の中でどのように露(あら)わになっているのかという点に焦点を当てます。

魯迅が描く日本の人種差別

1番目の方法で日本の植民地主義を研究する場合、日本の政治的な影響下にあった東アジアや東南アジアの文学作品を分析するというアプローチがあります。とりわけ、20世紀前半に日本から暴力や搾取を受けた中国や台湾、朝鮮では、日本人の差別意識を暗示させる作品が数多く生まれました。一例として、**魯迅**[*38]が書いた**『藤野先生』**[*39]という自伝的な小説を考えましょう。『藤野先生』は、中国からの留学生である「ぼく」(作者魯迅のこと)が、留学先の日本で出会った藤野先生という恩師との交流を回想する物語です。主人公は、当時台湾を領有し、中国大陸への影響力も強めつつあった日本への留学を決意し、仙台へ移住します。当

＊36　ピエール・ロティ　フランスの作家(1850〜1923)。海軍士官としてアフリカ、東洋を歴訪、日本へも3度寄港した。その見聞をもとに、『お菊さん』などの色彩豊かな異国情緒の溢れる小説を書く。

＊37　ピエール・ロティ『秋の日本』村上菊一郎訳、角川文庫、1990年。

＊38　魯迅　中国の文学者(1881〜1936)。医者となるため日本に留学中、文学の重要性を痛感し、帰国後、短編小説『狂人日記』で作家として出発、以後代表作『阿Q正伝』をはじめ、多くの小説、随筆、評論を発表、中国近代文学の祖となった。

＊39　『藤野先生』　魯迅『阿Q正伝・藤野先生』駒田信二訳、講談社、1998年。初出は1926年。

時の仙台では、外国人は珍しかったこともあり、まわりの日本人は概して「ぼく」に親切でした。さらに彼は、そこで出会った大学教員の藤野先生の助けもあって、必死に勉強して成績を上げていきます。しかし、良い成績を修めていた主人公に、日本人の学生たちは嫉妬心を覚え、主人公は陰湿ないじめを受けることになります。魯迅はこの小説を通して、当時の日本人が持っていた、植民地主義者としての差別意識を示唆しています。当時の日本人にとって、日清戦争で負けた中国人が、日本人よりも優秀であることはプライドを傷つけられることでした。それが、『藤野先生』においては「ぼく」への嫉妬という形で表現されています。このように、アジアの植民地文学を分析することで、私たちは今まで意識していなかった日本の差別意識に気づくことができるのです。

ポストコロニアル批評と『桃太郎』

また、2番目の方法を用いることで、日本の文学作品に潜む植民地主義の思考を解明するアプローチもあります。実際、それまで植民地主義とは無関係だと考えられていた作品が、強い政治的なメッセージを帯びたものであることが判明する場合も少なくありません。その1つとして考えられるのが、『桃太郎』です。『桃太郎』には数多くの版がありますが、明治時代に最も有名だったのが、児童文学界の重鎮である**巌谷小波**(いわやさざなみ)*40が書いた『桃太郎』でした。この『桃太郎』では、主人公桃太郎が鬼ヶ島に向かう理由がこう述べられています。

鬼心邪にして、我が皇神の皇化に従はず、却(かえ)って此(こ)の蘆原(あしはら)の国に寇(あだ)を為し、蒼生(そうせい)[*41]を取り喰ひ、宝物を奪ひ取る、世にも憎き奴に御座りますれば、私只今より出陣致し……宝の数々、残らず奪取て立ち帰る所存……天(あま)つ神の御使(おんつかい)、大日本の桃太郎将軍、征伐の為に出向ひ賜ふ。[*42]

『桃太郎』にひそむ日本の植民地政策

ここで、桃太郎は天皇陛下の兵士として、そして鬼は天皇陛下に従わない敵国として明確に描写されています。「小波は、鬼ヶ島征伐の理由づけをはっきりあたえる。皇国[*43]日本にあだをする憎き奴だから征伐するというのである」と文学者の**滑川道夫**[*44]が**『桃太郎像の変容』**[*45]で述べているように、巖谷小波の『桃太郎』では、桃太郎を天皇に仕える忠臣として解釈することで、彼の暴力行為が正当化されることになります。この『桃太郎』を通して私たちは、近代の日本がどのように自らの植民地政策を正当化していったのかを理解することができるのではないでしょうか？　桃太郎は、鬼と同じく暴力を振るい、宝物を奪ったにもかかわらず、自らの行為を皇国の正義として都合よく解釈しています。この論理は、そのまま日本の

＊40　巖谷小波　児童文学者（1870〜1933）。「おとぎばなし」の新分野を開拓するとともに後進の指導にもあたり、明治の児童文学界に君臨した。『日本昔噺』『世界お伽噺』などの編著がある。

＊41　蒼生　多くの人々。

＊42　巖谷小波『日本昔噺　第一編　桃太郎』博文館、1894年、35〜36ページ。のち『桃太郎』平凡社、2001年。

＊43　皇国　天皇が統治する国という意味。

＊44　滑川道夫　教育家（1906〜92）。雑誌『北方教育』に参加後、国分一太郎、寒川道夫らと生活綴方運動を推進。『桃太郎像の変容』で毎日出版文化賞を受賞。

＊45　『桃太郎像の変容』　滑川道夫、東京書籍、1981年。

植民地政策の論理でもあると言えるかもしれません。すなわち、「天皇が統治する神聖な国」として日本を特別視することで、日本によるアジア侵略を正当化するという思考パターンです。さらに、日本人以外の人種を「鬼」と表現し、人間以下の存在として貶めることさえしています。これは、ヨーロッパ人が自らの文化を持ち上げる一方、アジアやアフリカの人々や国々を「野蛮人」や「後進国」とみなし、植民地支配を正当化したパターンとよく似ています。実際、こうした日本を「神の国」とみなしてその優越性を主張する、いわゆる皇国思想は、日本のアジア侵略の強力な後ろ盾となったと言われています。このように、『桃太郎』をポストコロニアル批評の視線から眺めることによっても、私たちは日本人として意識してこなかった差別意識に気づくことができます。

ポストコロニアルの「ポスト」とは字義的には「〜以降」という意味ですが、同時に「乗り越える」という意味もあります。私たち日本人の深層心理に、欧米人への羨望やアジア人への蔑視が含まれているというのは、たしかに不愉快な事実かもしれません。しかし、こうした事実を認めないかぎり、従軍慰安婦、歴史教科書、在日朝鮮人問題などの植民地支配における負の遺産を私たちが「乗り越える」ことは難しいでしょう。こうした点において、ポストコロニアル批評とは決して文学の領域にとどまらず、現代社会の問題を解明するための重要な方法の1つであると言えるのです。

＊46 『ポストコロニアルの文学』 B. アッシュクロフトほか、木村茂雄訳、青土社、1998 年。

＊47 デイヴィッド・マルーフ オーストラリアの作家（1934 ～）。シドニー大学やクイーンズランド大学で英文学を教える。代表作『異境』（武舎るみ訳、現代企画室、2012 年）は国際 IMPAC ダブリン文学賞を受賞した。

コラム ポストコロニアル文学

「白人／非白人」の枠組みにとらわれない20世紀のポストコロニアル文学は、植民地における もう1つの文学の領域を見出していました。アジアやアフリカへ入植してきた白人たちの文学です。20世紀の半ばまで、オーストリア、カナダ、ニュージーランドなど西欧の植民地になっていた地域の文学は、世界から注目されることがほとんどありませんでした。しかし、ポストコロニアル批評の高まりとともに、そうした国々に住む人々の文学作品にもスポットライトが向けられるようになります。やがて、それだけにとどまらず、西欧の白人でも植民地の先住民でもない、「白人系入植者」の存在にも新たな関心が向けられるようになったのです。実際、**ビル・アシュクロフト**らが１９８９年に著した**『ポストコロニアルの文学』**[＊46]では、ポストコロニアルの文学として**デイヴィッド・マルーフ**[＊47]をはじめとした、白人系入植者たちの作品が加えられています。彼ら白人系入植者たちの作品の特徴は、故郷についての複雑な感情が描かれている点にあります。彼らにとっての故郷とは、イギリスやフランスなどの母国です。たとえ彼らがそういった土地に一度も住んだことがなかったとしても、彼らの心の中には絶えず、幻想的な母国のイメージが去来していました。白人系入植者たちの作品には、このような母国との心理的な距離感や、引き裂かれたアイデンティティ、そして侵入者として植民地に住みつづけなければならない不安と疎外感が色濃く反映されています。

B. アッシュクロフト・
H. ティフィン・G. グリフィス著
『ポストコロニアルの文学』

第9章 私たちと桃太郎

——カルチュラル・スタディーズ

カルチュラル・スタディーズと私たち

これまでの理論とはまったく異なるカルチュラル・スタディーズ

ここまで、私たちはいわば文学理論の「テーマパーク」をひと通り見てきました。脱構築批評、精神分析批評、マルクス主義批評、フェミニズム批評、そしてポストコロニアル批評など、様々な「アトラクション」を体験してきたと言えるでしょう。しかしながら、つまるところ、文学理論は私たちの生活とどのような関係があるのでしょうか。実際、私たちのライフスタイルは、全くと言っていいほど文学理論と関連性がないように思えます。毎日電車の中でマンガやニュースを読み、学校で先生の講義を聴き、休みにはアルバイトやサークル活動に打ち込み、夜にはスマホをいじりながら寝床に就くという、ごくごく普通の生活を送っているのではないでしょうか。こうしたなんの変哲も無い日常を日々生きている私たちにとって、文学理論は私たちのナマの現実とかけ離れた存在であるように思えます。

カルチュラル・スタディーズ（文化研究・文化理論）は、こうした問題を解決し、文学理論と実生活の橋渡しをする役割として誕生しました。というのも、カルチュラル・スタディーズはそれまでの文学理論とは明らかに一線を画しています。第1に、カルチュラル・スタディーズは特定の研究アプローチというものを持っていません。それまでの文学理論は、ある一定の研究アプローチに基づいて文学を批評してきました。例えば、精神分析批評であればフロイトの精神分析理論、マルクス主義批評であればマルクスの史的唯物論といった具合です。しかし、カルチュラル・スタディーズは特定の研究方法に決して固執しません。逆に、過去に使われてきた、さまざまな研究方法をすべて有用なものとみなし、必要に応じて使い

カルチュラル・スタディーズはあらゆるものを対象とする

分けています。イーグルトンが述べたように、「文化理論そのものには学問たるにふさわしい特殊な統一性というものはない」[*1]のです。したがって、カルチュラル・スタディーズの研究者は、精神分析でもマルクス主義でもフェミニズムでも、自分が好む研究アプローチを自由自在に選んで、研究対象に応用することが可能です。手近なものを何でも利用して作業するカルチュラル・スタディーズのこうした研究方法は、「**ブリコラージュ[*2]・アプローチ**」とも呼ばれ、カルチュラル・スタディーズをそれまでの文学理論と隔てるトレードマークの1つとなりました。

第2の特徴として、カルチュラル・スタディーズは、研究の対象となる文学の幅を大きく広げています。それまで、ほとんどの文学理論は、小説や詩といった言語芸術の作品を研究の対象にしてきました。しかし、カルチュラル・スタディーズは、そうした文学作品がもはや現代の社会とはかけ離れた存在であると考え、文学研究の伝統と袂（たもと）を分かち、「文学」はおろか、ポップアートや映画、さらにはテレビのCMに至るまで、ありとあらゆる作品を研究対象に加えています。研究誌『カルチュラル・スタディーズ』の編集者**グレアム・ター**

＊1　T. イーグルトン、前掲書、下巻、247ページ。

＊2　ブリコラージュ　フランス語で素人の手仕事の意味。

ナーが述べているように、「わたしたちが着るもの、聞くもの、見るもの、食べるもの。わたしたちが他人との関係のなかでいかにして自分自身を見るか。料理や買物などの日常活動の機能。これらすべてがカルチュラル・スタディーズの関心事[*3]」なのです。言いかえれば、私たちが普段着る衣服、電車の中で聴く音楽、新聞の折り込みに入っているスーパーのちらしなど、生活を取りまくさまざまなメディアが対象領域に入っています。実際、カルチュラル・スタディーズは、私たちに何を研究すべきかを教えることはありません。「何を研究対象とするかは、私たち自身が決める」というのがカルチュラル・スタディーズならではのスタンスであり、この点こそが今日多くの人々を惹きつけて止まない理由であると言えるでしょう。

もちろん、カルチュラル・スタディーズは大学機関において受けが良い学問とは決して言えません。なにしろ、どんなテーマを選ぼうが、どの研究アプローチで分析しようが「何でもあり」というのがこの理論のモットーなのです。「研究テーマにライトノベルやマンガを選ぶなどもってのほかだ」と非難する、保守的な教授も当然いることでしょう。また、独自の研究方法を持たず、常に他の学問領域から研究方法を借用してばかりいるカルチュラル・スタディーズは、学問として成立していないと批判する学者もいます。このように、カルチュラル・スタディーズはまわりの人々からひんしゅくを買いながら、しかしたくましく着実に成長し続けています。その理由としてはもちろん、前にも述べたような、カルチュラル・スタディーズの学際的（研究が複数の学問分野にかかわること）な側面が挙げられますが、決してそれだけが魅力というわけではありません。

カルチュラル・スタディーズは支配的イデオロギーへの抵抗手段となる

カルチュラル・スタディーズの強みは、なんといってもその政治的な影響です。実際、カルチュラル・スタディーズは、ジェンダーや民族など、政治的、社会的なテーマと密接な関係性があります。カルチュラル・スタディーズの手法を身につけることによって、どのような権力関係が、日常生活においてどのように機能しているのか、批判的なまなざしで分析することが可能となります。言いかえれば、デパートの広告、テレビで流れるＣＭ、『Seventeen』[*4]に掲載されるファッションに対してさえ、それが「どのような場で生産され、どのような条件のもとで流通し、それを受容するのはどのような人々で、いかなる歴史の契機と関わり、どんな組織や言説の構造がそこに働いているのか?……いったい誰がどんな場で、誰の利益や関心のために行い、それがどんな効果を持ち得ているのか?」[*5]という問いを立て、そうした問いを通して、どんな「**権力への意志**」[*6]が隠されているのか研究することができます。つまり、カルチュラル・スタディーズは、社会が私たちに押し付けようとする支配的イデオロギーとの闘争の場ともなり得るのです。

この章ではまず、カルチュラル・スタディーズがどのようにして始まったのか、その起源

＊3　グレアム・ターナー『カルチュラル・スタディーズ入門』溝上由紀ほか訳、作品社、1999年、10ページ。

＊4　**『Seventeen』**集英社が発行している10代の女性向けファッション誌。

＊5　本橋哲也　『カルチュラル・スタディーズへの招待』大修館書店、2002年、22ページ。

＊6　同書、24ページ。

について見ていきます。次に、カルチュラル・スタディーズの批評家たちがどのように批評を行っているのか、具体例も交えて学んでいきます。そして最後に、カルチュラル・スタディーズを通して『桃太郎』をどのように分析できるのか、という点についても考えてみましょう。

カルチュラル・スタディーズ誕生の背景

かつて、19世紀の社会学者**ギュスターヴ・ル・ボン**[*7]は、将来の社会をこう予言しました。

> 今日から予想できることは、将来の社会がその構成要素として、現代の最新最高の主権者である新たな勢力を重視しなければならないということだ。それは群衆の勢力である。……旧来のもろもろの信念や信仰が動揺して消滅し、社会を支えてきた古い柱が一本、また一本と倒れていくとき、群衆の行動こそは何ものにも脅かされず、その威勢がますます増大する唯一の力となる。われわれがこれから入ってゆく時代は、まさに群衆の時代なのである。[*8]

ル・ボンが述べたように、私たちはまさに、大衆が主役となりつつある時代にいます。それまで、政治的、経済的、文化的に大きな権力を持っていたのは少数の貴族やエリートでした。第3章でも述べたように、彼らは自分たちが愛好する古代のギリシャ、ラテン文学やシェイクスピアなどのいわゆる古典文学を正統な文学とみなし、その一方で、庶民が愛好する他の文学作品を堕落した、俗物的な文学として退けていたのです。そもそも、当時の一般人の多くは字が読めなかったので、彼らは完全に文学の場から締め出されていました。いわば、文学の価値判断はエリート階級によって独占されていたと言ってもいいでしょう。

読書の普及と大衆文学の発展

しかし、19世紀に入ると、こうしたエリート階級を中心とした体制に大きなうねりが押し寄せます。まず、18世紀後半からイギリスで起こっていた産業革命により、それまで小さかった中産階級の勢力が急速に増大し、ほとんど貴族と変わらないほどの富と余暇(よか)を手に入れることになりました。次に、イギリスでは1876年の初等教育令を皮切りに多くの人々が読み書きの能力を身につけ、本を読むことができるようになります。この結果、文学の読者層は下層階級にまで広がります。さらに、その後のテクノロジーの著しい進歩によって、新聞、雑誌、ラジオなどのマスメディアが発展し、大衆のための文学の大量流通、大量消費が可能となりました。人々は家にいながらにして、気軽に小説を楽しむことができるようになったのです。これがいわゆる「大衆文学」の誕生です。大衆文学とは、一部の知識階級に

＊7 ギュスターヴ・ル・ボン フランスの社会心理学者(1841〜1931)。群集心理の非合理性およびその個人に及ぼす弾圧性を認め、さらに国民、議会制度、革命などにまで考察を広げた。

＊8 G.ル・ボン『群衆心理』櫻井成夫訳、講談社、1993年、15ページ。

ではなく、大衆受けする娯楽要素を盛り込んで、大量に消費されることを目的として書かれた文学作品のことを指します。とりわけ、当時は**冒険小説**や**推理小説**が庶民の人気を集めました。こうした大衆文学が社会を席巻（せっけん）した結果、それまでごく少数のエリート階級だけが信奉していた古典文学は危機に陥ります。古典文学の権威は揺るぎませんでしたが、もはやそれは古臭い、無用の長物として大衆から目を背（そむ）けられ、大学機関でひっそりと教えられるだけの存在となりました。それに加え、古典文学を通して受け継がれてきた、伝統的価値観やキリスト教的道徳観でさえもが、古くさいものとして大衆から見捨てられることになったのです。

フランクフルト学派による文化批評

こうした大衆文学の発展に対して、当時のエリート階級の多くは困惑し、なんとかして自分たちの文化を守ろうと、大衆文化に非難の声を浴びせました。彼らは自分たちが愛好する古典文学を「**高級文化（ハイ・カルチャー）**」と呼んで賛美する一方、大衆文学を「文化の退廃」や「**低俗文化（マス・カルチャー）**」と呼んで差別しようとしたのです。例えば、イギリスの**T・S・エリオット**[*9]は、「古典が生まれるのは文明の成熟したときであり、換言すれば、言葉と文学が成熟したときである。古典とは、成熟した1つの精神の所産でなければならない」[*10]と述べ、大衆文化を芸術的に成熟していない、価値のないものとして否定する発言を度々しています。

フランクフルト学派は大衆文化研究のさきがけとなった

その一方で、少数ながらこの文化的変化を冷静に分析し、その本質を正確に捉えようと試みた知識人も現れました。その代表的なのが、ドイツの「**フランクフルト学派**[*11]」と呼ばれる研究グループです。フランクフルト大学教授の**マックス・ホルクハイマー**[*12]を中心に、彼らはヨーロッパ社会を研究するためのグループを1920年代にドイツのフランクフルトで立ち上げました。当時、フランクフルト学派の知識人たちに共通していたのは、ヨーロッパを席巻していた資本主義と大衆文化に対する危機感です。彼らはドライなまなざしで資本主義社会にどのような影響を与えているのかをつぶさに観察し、そこに潜む重大な問題を指摘しました。代表的な例として、ホルクハイマーと**テオドール・アドルノ**[*13]は、資本主義社会がもたらすお金とモノの大量生産／大量消費の危険性について指摘しています。彼らによれば、私たちはモノが大量に生産される現代社会に生きている結果、「モノの消費」そのものに依存した生活をおくっています。しかも、テレビやラジオなどのマスメディアが、こうした物質主義のライフスタイルを後押ししています。実際、私たちは日々、ドラマ、映画、ゲームなどのさまざまな娯楽に注意を逸らされ、深刻な社会問題について考える時間をほとんど

＊9　T. S. エリオット　イギリスの詩人 (1888～1965)。1948 年にノーベル文学賞を受賞。『荒野』や『聖なる森』によって、斬新な純粋詩論を実践して現代イギリス詩の先駆者となった。

＊10　T. S. Eliot, *On Poetry and Poets* (What is a Classic?), Farrar, Straus and Giroux, 1944, 55. 邦訳は『エリオット全集第 5 巻』平井正穂訳、中央公論社、1991 年、所収。

＊11　フランクフルト学派　もっとも、彼らは意識的に派閥を作り上げたわけではない。フランクフルト大学の社会研究所を中心に活躍していた研究者たちをまとめてこう呼ぶようになった。

＊12　マックス・ホルクハイマー　ドイツの社会学者(1895～1973)。マルクス主義的社会学から強い影響を受け、新しい哲学的人間学確立の努力を続けた。『理性の腐蝕』、アドルノとの共著『啓蒙の弁証法』などの著書がある。

＊13　テオドール・アドルノ　ドイツの社会学者（1903～69)。彼の思想は体系性を拒否して、各イデオロギー領域に潜んでいる精神の物化的傾向を鋭く析出するところに特色がある。主著は『美の理論』『否定弁証法』。

失っているのではないでしょうか。ホルクハイマーらは、もし政治家がマスメディアを巧みに操ることができれば、大衆の心理は容易にコントロールされ、現実に起こっているいろいろな社会問題が覆い隠されてしまうと警告しています。当時のフランクフルト学派にとってこれは決して現実離れした考えではありませんでした。事実、マスメディアの支配によるこのような独裁体制は、やがてアドルフ・ヒトラー率いるナチス政権の登場によって現実のものとなることになります。

マルクス主義とフランクフルト学派の関係

こうして見ると、フランクフルト学派による資本主義批判は、多分にマルクス主義の影響を受けていることが理解できるかもしれません。もともとフランクフルト学派の社会研究所は、マルクス主義研究所の後身機関として発足した経緯がありました。また、フランクフルト学派の中には、ロシア革命の成功を目の当たりにして、マルクスの予言が成就しつつあると考えた人もいます。しかし、マルクス主義が人間社会の基本要因として生産関係を重視したのに対し、彼らは経済的構造よりも文化が大衆に及ぼす影響を重視していました。また、彼らはマルクス主義が主張する社会主義革命による資本主義の崩壊という予言にもきわめて懐疑的な立場をとっています。いわばマルクス主義に影響を受けながらも、それだけに囚われない批判的な思考を彼らは持ち合わせていたと言えるでしょう。このようにフランクフルト学派は、マルクス主義批評を応用することで大衆文化についての鋭い考察を残しました。しかしながら、1933年にドイツでナチス政権が成立して以降、研究者の多くはアメリカに亡命してしまい、研究所も閉鎖に追い込まれてしまいます。ドイツにおける文化研究は下火になり、カルチュラル・スタディーズの舞台はいよいよイギリスへと移ることになります。

カルチュラル・スタディーズの誕生

カルチュラル・スタディーズの本格的な研究はイギリスでスタートした

今日、フランクフルト学派はカルチュラル・スタディーズの先駆者として知られています。たしかに、フランクフルト学派は大衆文化に対する見事な分析を行っていましたが、一方で限界もありました。それは、フランクフルト学派のメンバーのほとんどが、伝統的なハイ・カルチャーを愛好する知識人であったという点です。例えばアドルノは、古典音楽に深い造詣がある一方、ジャズといった大衆音楽に対して極めて批判的な論評を書きました。[*14] 彼らは決して、大衆の1人として大衆文化を分析することはなく、むしろ「高級文化」を愛好する「文化人」として、上から目線でしか大衆文化を批評できなかったのです。ここに知識人としての限界があったと言えるでしょう。

それに対して、1960年代にイギリスで始まったカルチュラル・スタディーズの流れは、フランクフルト学派とは明らかに一線を画していました。もちろん、イギリスでも雑誌**『ニュー・レフト・レビュー』**などでフランクフルト学派の論文が紹介され、その影響は大

＊14 例えば、アドルノはギターやウクレレを、ピアノと比べてはるかに幼稚な楽器であると言い切っている。

イギリスの研究者たちは積極的に大衆文化を取り入れた

きかったと言えます。しかし、イギリスのカルチュラル・スタディーズを代表する批評家**リチャード・ホガート**[*15]や**レイモンド・ウィリアムズ**[*16]は、それまでのフランクフルト学派の研究者たちとは違って、下層階級の出身だったのです。ホガートの父は兵士であり、ウィリアムズの父は鉄道員という、どちらも普通の労働者の家庭でした。彼らは、自分たちが子供の頃から親しんできたフォークソング、雑誌、小説などの大衆文化に愛着を持っていました。これら大衆娯楽の豊かさとその価値を全面的に肯定していたのです。そうした背景もあって、彼らは大衆文化の役割と意義を適切に伝えることができました。例えば、ホガートはマルクス主義批評の手法を用いて、大衆文化の分析を見事に行っています。事実、彼が著した**『読み書き能力の効用』**[*17]について、批評家グレアム・ターナーは次のように評しました。

この本は方法論として、ホガートが文学の訓練によって身につけた分析的方法が採用され、それがとてもうまくいった。たとえば、大衆音楽（ポピュラー・ソング）の演奏の言説や習慣の分析は、とても興味深く説得力があるし、大衆小説の議論などはいまでも読みつづけられている。[*18]

このようにホガートは、文学理論を大衆小説に応用することにより、そうした作品が決して古典文学より劣っているのではないこと、むしろ古典文学と同じように、私たちが研究の対象とするのに値する作品であることを示しました。さらにホガートは、それまで知識階級から蔑まれていた労働者たちの文化や生活をクローズアップすることで、大衆文化の豊かさを発見し、その社会的機能の重要性を読者に訴えています。彼の研究によって、カルチュラル・スタディーズは当時の有識者たちから高く評価され、1964年にはバーミンガム大学に現代文化研究センター（Centre of Contemporary Cultural Studies, CCCS）が設立されることになりました。『読み書き能力の効用』によってホガートは、カルチュラル・スタディーズの第一人者となったと言えるでしょう。

同じく、先に挙げたレイモンド・ウィリアムズも、研究すべき領域として大衆文化の重要性を強調しました。彼は**『文化と社会』**[*19]において、**「カルチャー（文化）」**という単語の意味が歴史を通してどのような変遷を遂げてきたのかという点に注目しています。例えば、19世紀以前のイギリスでは、「カルチャー」という言葉は単に、自然界における動植物の成長の傾向性を指す言葉に過ぎませんでした。しかしながら19世紀以降、「カルチャー」は次の4つの意味合いにおいて使われるようになります。1つ目は「心の一般的な状態」という意味で、2つ目に「社会における知的発達の状態」として、3つ目は「芸術活動の総体」という意味として、そして最後に「物質的、知的、精神的な生活の全体的なあり方」[*20]として、カル

＊15　リチャード・ホガート
イギリスの文化学者（1918～2014）。主著『読み書き能力の効用』では、古き良きイギリスの労働者階級の大衆文化への懐古と現代文化への批判が描かれている。

＊16　レイモンド・ウィリアムズ　イギリスの批評家（1921～88）。政治、文化、マスメディア、文学についてマルクス主義的な立場から活発な評論活動を展開し、英米圏を中心に多大な影響力を発揮した。

＊17　『読み書き能力の効用』　R. ホガート、香内三郎訳、晶文社、1974年。

＊18　G. ターナー、前掲書、64ページ。

＊19　『文化と社会』　R. ウィリアムズ、若松繁信・長谷川光昭訳、ミネルヴァ書房、1968年。

＊20　同書、4ページ。

すべての文化活動は平等に扱われるべきである

チャーという言葉は用いられるようになりました。このように、ウィリアムズによれば、カルチャーという言葉の意味合いは時代と場所によって絶えず変化するものであり、普遍的な定義は存在しません。彼のこうした考察は、カルチュラル・スタディーズという、その本質をつかむのがとりわけ難しい理論について考える際にきわめて重要な手がかりを与えてくれます。実際、もしカルチャーという言葉が古典文学のみならず、大衆小説やポップ・ミュージックまでをも包含する言葉であるのであれば、いかなる文化活動も平等に研究する価値があるのではないでしょうか。こうしてウィリアムズの研究は、今までエリート階級に見過ごされ、軽蔑されてきた大衆文化を再評価させる契機となったのです。

ホールによる文化研究

このように、ウィリアムズやホガートが行った文化研究の方法は、主に社会の経済構造と文化の関係性を強調するマルクス主義の影響を大きく受けていました。一方、1970年代に入るとヨーロッパで盛んになった構造主義の方法論がイギリスにも上陸し、カルチュラル・スタディーズの研究者たちは構造主義批評の手法を取り入れるようになります。実際、**ローマン・ヤコブソン**[*21]の**「言語学と詩学」**[*22]、ロラン・バルトの**「記号学の原理」**[*23]、そして**ウンベルト・エーコ**[*24]の**『不在の構造』**[*25]（未邦訳）などが英訳されたことは、記号論的・構造主義的研究がカルチュラル・スタディーズの領域において発展する契機となりました。その代表的な人物は、ジャマイカ生まれの批評家、**スチュアート・ホール**[*26]です。彼は、ヤコブソンが提唱した「**コード**」という概念をカルチュラル・スタディーズにおいて応用しました。ヤコブソンによれば、言葉を伝える作業は、ただ「発信者」が「メッセージ」を「受信者」に送るという単純なものではありません。

私たちの言語はコード化されている

分かりやすいように、ある韓国人があなたに、「지금 몇시예요（チグン ミョッシ エヨ）?」と述べたとしましょう。このメッセージをあなたが理解するにはまず、あらかじめ「지금（チグン）」や「몇시（ミョッシ）」が記号であり、何らかの意味を持つことを知っていなければなりません。また、「지금（チグン）」と「몇시예요（ミョッシ エヨ）」をつなげることで1つの意味を理解できるだけの韓国語の文法も知っておく必要があるでしょう。そうした知識を持っていてはじめて、「지금」が「今」、「몇시」が「何時」という意味であり、それらをつなげることで「今何時ですか?」と相手が述べていることが分かります。ここから言えることは、私たちが言葉を伝達するためには、お互いが共通して理解できる日本語という「コード」を使わなければならないという点です。つまり、コードとは、「伝達において用いられる記号とその意味、および記号の結合の仕方についての規定（言語の場合の「辞書」と「文

＊21　ローマン・ヤコブソン　ロシア生まれのアメリカの言語学者（1896〜1982）。一般言語学をはじめ言語学の非常に広い分野にわたって優れた業績を上げているが、特に音韻論と形態論における構造主義的方法の推進と、言語現象を広い視野で捉える総合的学風とで知られる。

＊22　「言語学と詩学」　R. ヤコブソン『一般言語学』所収、川本茂雄監修・田村すゞ子ほか訳、みすず書房、1973年。

＊23　「記号学の原理」　R. バルト『零度のエクリチュール』所収、渡辺淳・沢村昴一訳、みすず書房、1971年。

＊24　ウンベルト・エーコ　イタリアの評論家、小説家（1932〜2016）。中世美術を研究し、前衛美術と大衆的なマスコミュニケーションとの関係を論じた『啓示と統合』や、ソシュールの構造言語学を発展させようと試みた『不在の構造』などを書いた。

＊25　『不在の構造』　原著はU. Eco, *La Struttura Assente*, 1968.

＊26　スチュアート・ホール　イギリスで活躍した批評家（1934〜2014）。フランスの構造主義及びポスト構造主義の思想を研究しつつ、マスメディアや大衆文化の問題にも積極的に取り組んだ。1968年より現代文化研究センターの所長を務める。

法」に相当するもの）」[*27]であり、私たちはいつも、自分が伝えたい思いを「日本の言葉と文法」という記号に「**コード化**」して送っていると言えるでしょう。

ホールは、この「コード化」というプロセスに注目しました。そして、現代のマスメディアがどのようにメッセージを意図的に「**コード化**」しているのか、その仕組みについて分析しています。例えば、あるテレビ番組が外国人労働者による不法滞在を取り上げている場面を想像してみてください。テレビ局は、一般的にニュース映像をありのまま放送することはしません。ディレクターはニュースを煽情的なものに仕立て上げるために、あえていくつかの事実を誇張し、一方で他の事実を省略することでしょう。また、映像を編集して、衝撃的なフレーズをテロップで流したり、大衆を欺くために巧妙な加工を施（ほどこ）したりして視覚的な効果をねらうことが少なくありません。このように、ホールによれば、マスメディアはメッセージを意図的に作り上げる、つまり「コード化」することによって、視聴者を特定のイデオロギーへ誘導しようとしています。さらにホールは、私たちが幼い頃からテレビやスマホに慣れ親しんでいるあまり、こうした映像を編集されたものとしてではなく、自然でありのままの映像として受け入れてしまっているとも指摘しました。

ある種のコードは、ある特定の言語コミュニティや文化において、あまりにも広く流布し、あまりにも幼い時から学習されているため、それが構築された、記号と指示物の分節化の効果ではなく、「自然に」与えられているかのように感じとられるのである。[*28]

言いかえれば、テレビやスマホは、放映されるニュース映像をあたかも現実であるかのように私たちを誤解させ、テレビ局の背後にある大企業や政治団体が望むようなメッセージを送信する役割を演じています。このように、マスメディアは、メッセージをそのまま伝えるのではなく、何らかの目的を持ってメッセージを自ら作り上げているとホールは主張しました。

読解のプロセスにおいて支配的なメッセージに対抗する

それでは、こうした支配的なメッセージに対し、私たちはどうすれば良いのでしょうか？私たちは、支配者側のメッセージを無抵抗に受け入れるしかないのでしょうか？ホールは、私たちがメッセージの構成に関して関与できないとしても、そのメッセージをどう解釈するかという「**読解のプロセス**」においては、私たちの側に自由が残されていると考えました。そして、支配的なメッセージに対抗できる解釈を行うことで、支配者側が意図したメッセージからまったく反対の意味を見出すことができると述べています。

最後に視聴者は、ある言説によって与えられた、字義通りの屈折変化および内包的な

＊27 池上嘉彦『記号論への招待』岩波書店、1984年。
＊28 Stuart Hall, *"Encoding/Decoding." In Culture, Media, Language*, ed. Stuart Hall, Dorothy Hobson, Andrew Lowe and Paul Willis. London: Hutchinson. 132.

屈折変化を完全に理解しながらも、逆の方法でそのメッセージを全面的に脱コード化することが可能である。彼もしくは彼女は、別の参照系の枠組みのなかにメッセージを再統合するために優先的なコードの中にメッセージを分化させる……対抗的コードと呼ばれるものを作動させているのである。[*29]

このままでは難しいので、例として、先に挙げた外国人労働者の不法就労問題を取り上げてみましょう。ある種の政党やマスメディアは、もしかしたらこのようなニュースを流すことにより、次のようなイデオロギーを国民に喚起させようとしているのかもしれません――「外国人労働者は日本の国益に反する。外国人労働者を厳しく規制して、日本社会を守ろう」。しかし、こうした支配的な意味に対し、私たちはニュース映像を独自に読みかえることで、次のようなまったく反対のメッセージを受け取ることが可能になります――「不法就労問題を取り上げることで、政府は国民の不満の矛先を、外国人という弱者へ向けさせようとしているのではないだろうか。そうであれば、外国人労働者を排斥する以外の道も考えられるのではないだろうか」。このように、私たちは故意にニュース内容を反対の意味に読みかえることで、支配的なメッセージに対する反抗的なメッセージを作り出し、メディアによる価値観の押し付けに対抗することができます。[*30]

ホールによるメディア分析は、文学研究の領域においても重要な示唆を与えるものとなっていると言えるでしょう。実際、私たちは対抗的な立場を選択することで、現在の文学制度を支える支配的なイデオロギーの価値に異議を唱えることができます。古典や近代文学こそ

カルチュラル・スタディーズは21世紀の文学制度を開拓していく

研究対象としてふさわしいという考えや、純文学を大衆文学の上位に置く考えが、今なお支配的な立場にあることはすでに学びました。しかしながら、私たちは21世紀に生きる者として、そうしたイデオロギーに真っ向から反対する、対抗的な立場を取ることも可能になります。そもそも、カルチュラル・スタディーズの根拠地であるロンドンの現代美術研究所(Institute of Contemporary Arts, ICA)は、当時はまったく無名の若い大学院生たちが中心となって創設された研究所でした。いわば、彼らが当時の支配的なイデオロギーに染まることなく、つねに対抗的な読解を発信し続けてきたことによって、今日のカルチュラル・スタディーズの隆盛があると言ってもいいでしょう。このように、カルチュラル・スタディーズの研究方法は、文学に関する新たな理論を生み出す上で、とりわけ有用なものとなっているのです。

カルチュラル・スタディーズの実践——バルトによる文化批評

ここでカルチュラル・スタディーズの実例を1つ見てみたいと思います。カルチュラル・

＊29　同書、138ページ。

＊30　ここに掲載されているのはあくまでも1つの例であり、特定の政治的な立場を支持しているものではない。

ロラン・バルトは記号論を応用して広告を分析した

スタディーズの研究者による著名な研究例としては、ＢＢＣの時事特集番組の構成戦略を分析した**シャルロッテ・ブランスドン**と**デビッド・モーリー**の調査[*31]や、労働者階級の青年たちがどのように「不良文化」を形成していくのかにスポットライトを当てた、**ポール・ウィリス**[*32]の研究（**『ハマータウンの野郎ども』**[*33]）などがありますが、今回は古典的な例として、ロラン・バルトによるパンザーニ社のパスタの広告分析を取り上げてみましょう。バルトは今日、構造主義批評の代表者として知られています。しかしながら、彼の批評分析はカルチュラル・スタディーズの研究手法に大きな影響を与えており、バルトをカルチュラル・スタディーズの先駆けと呼んでも過言ではありません。

バルトは、私たちの文化の中に隠された記号があると考え、それをパンザーニ社の広告を用いて例証しました[*34]（**図1**を参照）。ここにあるポスターは、一見何の変哲もない広告のように思えます。画面中央には「パンザーニ」と書かれたパスタの商品がネットに入った形で登場し、そのまわりにはパスタ料理で使うトマトやマッシュルームが乱雑に置かれています。しかしながらバルトは、こうした1つ1つの要素には、記号としての意味が潜在していると考えました。例えば、ここに出てくる網状の

図1

社会のあらゆるものは記号化されている

手提げバッグは、手提げバッグそのものを表しているだけではありません。買い物に使う手提げバッグは、この写真が買い物帰りの場面であることを暗示しており、商品の新鮮さや家庭的な雰囲気を意味する記号になっています。また、トマトやマッシュルームなどの野菜は、純粋に野菜そのものを表しているだけでなく、赤、白、緑といった色でイタリア的なトーンを表現しています。このように、バルトは1つ1つの事物を記号と捉え、**辞書に登録されているモノそのものの意味（デノテーション）**と、**その言葉が呼び起こす個人的、情感的なイメージ（コノテーション）**を分けて考えました。その上で、私たちはどんなものを見ても、それをありのままに捉えるのではなく、そのモノが持っている言外の意味（コノテーション）で捉えてしまうと指摘しています。分かりやすいように、バルトの分析を表にして見てみましょう（次ページの**表1**を参照）。

つまるところ、私たちの社会はすべて記号で満ちています。例えば、ルイ・ヴィトンのバッグは純粋にバッグそのものを表しているのではなく、「上流階級」「お金持ち」「セレブ」といったコノテーションを持っています。バラはバラそのものではなく、「情熱」や「熱烈

＊31 Morley, David. *"The Nationwide Audience: Structure and Decoding,"* Issue II of BFI television monograph, British Film Institute, 1980.

＊32 ポール・ウィリス イギリスの文化人類学者（1950～）。1977年に発表された『ハマータウンの野郎ども』によって名声を確立。以降イギリスのサブカルチャー研究の第一人者となった。

＊33 『ハマータウンの野郎ども』 P. ウィリス、熊沢誠・山田潤訳、筑摩書房、1985年。

＊34 R. バルト『映像の修辞学』沢村浩平訳、みすず書房、1984年、25～39ページ。

な愛」という記号が潜在していると言えるでしょう。カルチュラル・スタディーズは、このバルトの思想に大きな影響を受けています。実際、カルチュラル・スタディーズの研究者は、新聞、雑誌、マンガ、テレビ番組など、さまざまな大衆文化にも隠された記号が存在するはずだと考えました。そして、そうした記号を解明することによって、記号の集まりによって構成されている社会の仕組みを明らかにしようとしたのです。私たちもバルトの分析手法を取り入れることにより、日頃親しんでいるアニメやマンガの中からでさえ隠された意味を抽出し、日本社会の構造を分析することができます。こうした意味で、バルトが行った研究は、カルチュラル・スタディーズにおける秀逸な例となっているのです。

『桃太郎』とカルチュラル・スタディーズ

それではここで、カルチュラル・スタディーズの方法を使って、『桃太郎』を分析してみましょう。前にも述べたように、カルチュラル・スタディーズにはこれといった研究スタイルはありません。それは文学者の**廣野由美子**が以下に述べている通りです。

カルチュラル・スタディーズによる『桃太郎』分析

表1　バルトによる広告分析

デノテーション（辞書に登場する意味）	手提げ袋	野菜	パスタと野菜
コノテーション（その言葉が呼び起こすイメージ）	買ってきたばかりという新鮮さ、家庭的な雰囲気をイメージ	赤、緑、白といった色でイタリアの国旗を表現	新鮮な野菜と一緒にパスタを置くことで、パスタも新鮮であることを暗示

古典作品を対象として文化批評［カルチュラル・スタディーズ］的にアプローチする場合にも、多様な方法がある。ある文学テクストが、時代を経てハイ・カルチャーとロウ・カルチャーとの間をいかにして行き来してきたかという過程を検証する方法もあるだろう。原作を、映画やドラマ、漫画などの翻案と比較するという研究も盛んである。……あるいは、時代の文化的背景のなかで重要なモチーフやテーマを、原作なり翻案なりのなかから取り出すというアプローチもある。[*35]

ここでは、『桃太郎』のストーリーがさまざまな二次創作よってどのような変貌を遂げてきたのか、さらには作品と当時の時代背景との関係性についても考察してみましょう。[*36]

そもそも『桃太郎』がはじめて物語として描かれるようになったのは、江戸時代の中ごろであったと言われています。当時、江戸には「草双紙（くさぞうし）」と呼ばれる読みものが人気を博していました。これは絵を中心とした簡単な本で、多くの町人の間で盛んに読まれていたとされています。現存している最初の『桃太郎』は、1723年（享保8年）にこうした風潮の中

＊35　廣野由美子『批評理論入門「フランケンシュタイン」解剖講義』中央公論新社、2014年、192ページ。

＊36　以下に記す『桃太郎』の歴史は、滑川道夫『桃太郎像の変容』（東京書籍、1981年）の第1〜3、7章、および鳥越信『桃太郎の運命』（ミネルヴァ書房、2004年）に基づいている。

で書かれました。しかしながら、当時の『桃太郎』は、現在広まっているバージョンとかなり異なっています。例えば、主人公である桃太郎は桃から生まれたのではなく、桃を食べて若返ったおじいさんとおばあさんの間にできた子供として描かれていました。また、桃太郎と動物たちとの間に上下関係はなく、イヌ、キジ、サルはあくまでも桃太郎の連れという間柄として描写されています。

時代背景によって作り変えられる『桃太郎』

一方で、明治時代に入ると、こうした『桃太郎』のストーリーに大きな変更が加えられることになります。『桃太郎』は**『尋常小学読本』**の一部として1887年に小学校の教科書に掲載されますが、その際に桃太郎の出生は若返ったおじいさんとおばあさんとの間の子としてではなく、桃から生まれたという設定に変えさせられました。さらに、イヌ、キジ、サルを桃太郎の家来にさせ、桃太郎自身には陣羽織を着させています。こうした背景には、当時の日本政府が推し進めていた**国家主義**[*37]政策がありました。国民をまとめ上げ、海外列強に対抗するためには、桃太郎というシンボルを通して子供の愛国心を高める必要があったのです。こうしたナショナリズム政策は、1904年に日露戦争が勃発するとさらに高まりました。実際、同年に出版された**『征露再生桃太郎』**においては、桃太郎が征伐するのは中国や朝鮮をいじめる「ロシア」という鬼であり、彼が携えていくのはキビダンゴではなく「大砲」で、持ち帰ってくるのは満州の利権という設定になっています。さらに、軍部が権力を握った1940年代になると、『桃太郎』による愛国教育は絶頂期を迎えました。1941年の教科書**『ヨミカタ』**では、おじいさんが日本の国旗を振って桃太郎を迎える挿絵が加えられています。また、日本初の長編映画として、1943年には**『桃太郎の海鷲』**（瀬尾光世

＊37　**国家主義**　国家に至上の価値を認め、国家の軍事的栄光を他のすべての価値に優先させる政治的な主張。

監督、藝術映画社）が封切られました。これは桃太郎を隊長とする飛行部隊が鬼ヶ島へ奇襲攻撃を行い、大勝利を収めるという内容で、日本軍による真珠湾攻撃をモチーフとしていることが一目瞭然です。まさに戦時における日本の国家主義政策が色濃く反映されている作品と言えるでしょう。

しかし、日本の敗戦後、『桃太郎』は軍国主義のシンボルとして真っ先に槍玉に挙げら

真珠湾攻撃をモデルにした映画『桃太郎の海鷲』（瀬尾光世監督、１９４３年）

れ、教科書から消え去ることになります。代わって登場したのは、民主主義の象徴としての『桃太郎』でした。例えば**奈街三郎**（なまち）[*38]の学校劇用脚本**『ただの桃太郎』**[*39]では、桃太郎は「日本一」と記された旗印を投げ捨て、これからはただの桃太郎として働くことを宣言しています。ナショナリズムの象徴としての役割を否定し、一国民として生活することを願う奈街版の桃太郎の姿には、まさに民主主義の子としてのイメージが付与されていると言っていいでしょう。[*40]

価値観の多様性が広まっている現代においては、『桃太郎』も現代社会のさまざまなテーマを反映する物語として多種多様に改変されました。例として**奥山和弘**の**『モモタロー・ノー・リターン』**[*41]においては、主人公桃太郎は「桃子」という女の子に変わっています。さらに、桃子は鬼たちを武力で退治するのではなく、鬼ヶ島の女の鬼たちとの話し合いによって問題を解決するという設定に置き換えられています。こうした変更点には、現代社会におけるフェミニズムや平和主義の高まりが反映されていると考えられるでしょう。このように、日本社会の価値観の変遷に伴って、『桃太郎』の物語は今も書きかえられ続けているのです。

今後も変わりつづける
『桃太郎』の物語

コラム

カルチュラル・スタディーズと美術

産業革命の発展と中産階級の増加は、文学のみならず美術の分野においても大きな影響を及ぼしています。ル・ボンが指摘したように、近代社会は大衆が主役となった時代でもありましたが、それは同時に人間の「個性」の喪失を意味するものでもありました。私たち一人ひとりは、もはやかけがえのない個人として扱われることなく、むしろ機械の部品のように無機質で均一な存在としてみなされるようになったのです。こうした大衆社会の価値観は、当時の多くの芸術家の感性を刺激し、新しい芸術方法が生まれる契機ともなりました。実際、新印象派の**ジョルジュ・スーラ**[*42]や**ポール・シニャック**[*43]は、ミクロな点を繰り返し描画に描くことで色彩を表現しようという「**点描画法**」を19世紀末に編み出していますが、これは彼らが大衆社会における「個」の喪失を敏感に感じとっていたことの証左であるといえるでしょう。カルチュラル・スタディーズ研究の牙城の1つであるロンドンの現代美術研究所では、こうした芸術と大衆文化の関係性についての研究が1950年代

＊38　奈街三郎　児童文学作家(1907～78)。1952年、『まいごのドーナツ』で第1回小学館児童文化賞を受賞。

＊39　『ただの桃太郎』　奈街三郎『日本学校劇選（小学校篇）』櫻井書店、1950年、所収。

＊40　鳥越信、前掲書、184ページ。

＊41　『モモタロー・ノー・リターン』　奥山和弘、十月舎、2011年。

＊42　ジョルジュ・スーラ　フランスの画家(1859～91)。新印象主義の点描派の創始者。1884年、点描画法による大作『グランド・ジャット島の日曜日の午後』を出品し大論争を巻き起こしたが、31歳で夭折した。

＊43　ポール・シニャック　フランスの画家(1863～1935)。スーラとともに点描主義を推進し、新印象主義運動の発展に尽力した。彼の作品はスーラの点描より大きな点を用いたモザイク的、装飾的作品が多い。

より行われています。

第10章

桃太郎研究の未来、そして文学研究の未来

――障害学批評、エコクリティシズム批評、人文情報学批評

ここまで、私たちは既存の文学理論について考察してきました。この章では、文学研究の世界で産声をあげたばかりの新しい文学理論について紹介していきます。いずれも、ここ20、30年の間に誕生した新鋭ばかりで、アカデミーの領域では未だ十分に研究し尽くされていません。その点で、これらは21世紀を担う新たな文学理論と言えるでしょう。

障害学批評

障害学批評は、1980年代後半にアメリカ及びイギリスで始まった文学研究であり、未だ研究の余地が大いにある分野です。その嚆矢(こうし)はイリノイ大学の**レナード・デイヴィス**が1997年に出版した論評**『障害学入門』**[*1]（未邦訳）、および同年にエモリー大学の**ローズマリー・ガーランド=トムソン**が著した**『異常な身体』**[*2]（未邦訳）という論文です。彼らが立ち上げた障害学批評の立脚点は、「私たちの身体がもともと、すべて不完全である」という認識でした。私たちは遅かれ早かれ、いつかは病気になり、死に至ります。言いかえるならば、私たちの身体は健康から不健康へ、もしくは「障害がない」状態から「障害がある」状態へとかならず変化していく存在です。前述したデイヴィスやガーランド=トムソンは、こうした「障害」という概念を私たちの文化がどうみなし、どう扱ってきたかに注目しました。そこで彼らが考えたのが、「正常」と「異常」の区別というのは、実は恣意(しい)的なものに過ぎないのではないかという仮説です。彼らによれば、「健常者と障がい者」「健常者と精神病者」もしくは「健常者と病人」という区分けは文化的なものであり、生物学的な切れ目な

障害学批評――障がい者と健常者の枠組みを乗り越える

どは存在しません。つまり、自分が「障がい者」であるか否かという線引きは、自分の意志によって決めることができるのです。デイヴィスらは、私たちの社会がそうした事実を隠し、都合のいいように人間を「健常者」と「障がい者」に分け、「障がい者」を社会から除外しようとしていると考えました。

こうした障害学批評の背景には、1970年代に普及した脱構築批評（第4章参照）の思想がありました。脱構築批評によれば、いかなる社会的システムも絶対的なものではありません。『桃太郎』の物語が「人類による自然の支配」というストーリーにもなれば、「自然が人類を支配する」というストーリーにも変貌できると前に述べたように、社会の価値観は時代によって二転三転していきます。障害学批評は、この考えを障害学という分野にも当てはめたと言えるでしょう。事実、デイヴィスらの指摘によれば、人間の心も社会と同じく、絶えず変わりゆく存在です。私たちの考えや価値観は、外の環境、流行の移り変わりや、出会う人などによって日々変化していきます。同じように、私たちの言葉遣い、服装、ふるまいさえも、時と場合によって自由自在に変貌していくのではないでしょうか？ 言語学者の**佐**

私たちの身体は、言語のように変化しつづける

＊1 『障害学入門』 Lennard J. Davis ed., *The Disability Studies Reader*, Routledge, 1997.

＊2 『異常な身体』 Rosemarie Garland Thomson, *Extraordinary Bodies: Figuring Physical Disability in American Culture and Literature*, Columbia Univ. Press, 1997.

野直子は、**『社会言語学のまなざし』**[*3] において私たちの話す言葉が1日でどれほど頻繁に変わっているかについて述べています。

自分が実際にどうやってあいさつしているかをためしに1日かけて数えてみてください。「こんにちは」「さようなら」を実際に使っている頻度は意外に少なく、「おはようございます」「うぃーす」「やあ」「いらっしゃいませ」「どうもー」「じゃーねー」「ばいばい」「お疲れ様です」「お先に失礼します」など、互いにまったく異なる、しかも「こんにちは」「さようなら」とは似ても似つかないような、多様なあいさつを使っていないでしょうか。そして、それは場面や相手によって変わっているのではないでしょうか。[*4]

彼女の指摘は、ポスト構造主義における**「エクリチュール」**の概念と通じる点があります。バルトは、ある階層やグループで使われている特定の言葉遣いをフランス語で「エクリチュール」と呼びました。例えば、「うぃーす」という言葉遣いは、男子高校生がよく使うエクリチュールと言えるかもしれません。「じゃーねー」という言葉遣いは、女子高生のエクリチュールであるとみなすことができるでしょう。さらにバルトは、私たちがどの言葉遣い（エクリチュール）を身につけるかは私たち自身が主体的に決めることができるとも述べました。[*5] つまり、私たちは自分で白金や田園調布の高級住宅街で使われている上品な言葉遣いを使うこともできれば、浅草や谷根千などで使われる下町言葉を選ぶこともできるのです。

障害学批評は、バルトが提唱するこのエクリチュールというコンセプトにも影響を受けて

障がい者という概念は相対的なもの

います。もし、私たちが自分の言葉遣いや服装、ふるまいを自分自身で選び取ることができるのであれば、それはすなわち、「自分が何者であるか」を決めるのは社会ではなく、自分自身であるという結論に至ります。これは私たち一人ひとりが抱えている障害にも当てはまるのではないでしょうか？　つまり、「障害とは何か？」「障害にどう反応するか？」「自分は障がい者か？」といった質問に答えられるのは、社会ではなく、自分自身なのです。障害学批評は、障がい者の自主性や自己決定権を提起したことにその斬新さがあります。

ポスト構造主義が障害学批評に与えたもう1つの影響は、社会において「障がい者」という概念が相対的なものであるという点です。心の状態が絶えず流れる川のように変化していくのと同様に、私たちの身体の状態も老化や病いによって変わっていきます。ということは、私たちはある時点においては必ず「障がい者」になる定めにあると考えることができるでしょう。この観点に基づけば、障害は極めて不安定な概念です。実際、自分が「障がい者」であるかどうかはまわりの環境や自分の感情、さらには自分が今していることによっても変わっていきます。車椅子を使っている人は家族や友人と会話している時、自分が障がい者で

＊3　『社会言語学のまなざし』佐野直子、三元社、2015年。
＊4　同書、6ページ。
＊5　R. バルト『零度のエクリチュール』石川美子訳、みすず書房、2008年、24ページ。

あるという意識を持っていないかもしれませんが、階段があって2階に登れない時には自分の障害を意識するでしょう。障害のある人を取り巻く環境が整えられないことによっても、障害は容易に生じます。*6 同じように、今現在心身ともに健康だと思っている私たちは、明日急に病気になることによって、自分の障害を意識することもあり得るのです。一人ひとりの価値観や嗜好（しこう）が異なるように、障害という概念も、場所や時間によって様々な形へと変貌すると言えるのではないでしょうか。

「障がい者」の誕生

ここで障害学批評の創始者の1人であるレナード・デイヴィスの障害学理論を見てみましょう。彼は『障害学入門』のなかで、ヨーロッパ社会における「健常者」と「障がい者」の区分が始まったのは、今からわずか150年前の19世紀中頃であったことを指摘しています。当時のヨーロッパは産業革命が始まり、急速に社会の工業化が進んでいました。ヨーロッパのあちこちで建てられた工場を支える役割を果たしていたのが、下層階級及び中産階級の労働者です。当時、彼らの多くは劣悪な労働環境の下で、過酷な仕事を強いられていました。一方で、彼らを雇う資本家たちは、自分たちの儲けを正確に計算するため、労働者が平均してどれくらい働けるのかを知る必要がありました。

もし繊維工場で平均的な労働者が1日5着の服を作れることが分かれば、1日4着しか作れない労働者を解雇することで生産量を増やすことができます。また、工場全体の生産量も

障がい者は人為的に作られたカテゴリーである

障害学批評の実例

予測することができ、きちんと納期に合わせて仕事をすることもできるでしょう。そうした資本家たちの要望によって、19世紀には、人間の「平均」を測る学問、いわゆる「**統計学**」が誕生しました。例えば、ベルギーの統計学者**ランバート・ケトレ**[*7]は、**『人間に就いて』**[*8]を著し、その中で人間の肉体的および精神的な「平均」値を割り出しています。[*9]この結果、資本家たちは平均以下の人間を「不適格な」労働者として、通常の人間と区別することが可能となりました。これこそが、「障がい者」の誕生であるとデイヴィスは述べています。

障害学批評は、こうした背景を踏まえて、文学作品や非文学テクストにおいて障がい者がどのように表現され、どのような社会的機能を与えられているのかに注目します。[*10]例えば、近代文学において登場する障がい者は、たいていメアリー・シェリーの『フランケンシュタイン』に登場する怪物のような気味の悪い人物か、**ハーマン・メルヴィル**[*11]の**『白鯨』**[*12]におけるエイハブ船長のように片足を失った被害者として描かれるのが一般的です。しかも、そのどちらのケースにおいても、障がい者は「心身ともに健康な」登場人物の引き立て役としての役割しか与えられていません。ほとんどの物語は、主人公が悪玉の障がい者を打ち倒して

＊6 山田伸代「〈語り手〉の優しいまなざし」『日本文学』60巻、日本文学協会、2011年、39ページ。

＊7 ランバート・ケトレ ベルギーの数学者、統計学者（1796〜1874）。フランスの犯罪者などについて統計学の新しい技法を駆使しながら詳細に論じ、社会科学の研究に数学的手法が大々的に用いられる先駆となった。

＊8 『人間に就いて』 平貞蔵・山村喬訳、岩波書店、1940年。

＊9 同書、上巻、39ページ。

＊10 『ディプロマプログラム（DP）「言語A」教師用参考資料』国際バカロレア機構、2019年、49ページ。

＊11 ハーマン・メルヴィル アメリカの小説家（1819〜91）。捕鯨船や軍艦の乗組員として放浪生活をおくった。生前はまったく評価されなかったが、20世紀に入り、その人間存在の深淵への洞察と多様な象徴主義的作風のゆえに、世界文学の巨匠の1人に数えられるにいたった。

＊12 『白鯨』 H. メルヴィル、田中西二郎訳、新潮社、1979年。原著は *Moby-Dick; or, The Whale,* 1851.

何らかの道徳観を読者に伝えるか、それとも障がい者を絶望から助け、「健常者の」独善的な正義を読者の前に呈示して幕を閉じます。障害学批評は、今までの文学研究がこうした「健常者の、健常者による、健常者のための」文学研究であったことを指摘し、それまで一面的に利用されるだけだった障がい者の独立性や個性を強調しました。例として、シェイクスピアの『**リア王**』に登場するグロスター伯爵を考えてみましょう。グロスター伯爵は物語の中で失明し、盲人になりますが、「目が見えていた時には、躓(つまず)いたものだ。今はよく物が見える」[*13]と述べ、失明したからこそ世界の真理を見抜くことが可能になったと述べています。私たちはこうした一節を読み、障がい者の視点から分析することで、それまで自明的なものと感じられていた「健常者」の優位性が揺り動かされるのではないでしょうか。このように、障害学批評の手法を用いることによって、私たちは文学作品における障がい者の存在を再評価し、「健常者と障がい者」という二項対立のくくりから抜け出し、ひいては現代社会における障がい者のあり方に一石を投じることができます。

人間中心的な考え方を批判したエコクリティシズム

エコクリティシズム批評

エコクリティシズムも障害学批評と同じく、1990年代後半に誕生した比較的新しい分野です。エコクリティシズムは、それまで近代社会に強く根づいていた「**人間中心主義**」というイデオロギーへの反発から生まれました。人間中心主義とは人間を世界の中心と見る立場のことを指します。この考えが流行する以前、すなわち中世の時代まで、ヨーロッパでは神を世界の真ん中に置くキリスト教の考えが大きな影響力を持っていました。しかし、ルネサンスの時代が始まると人間性の尊重、人間の解放をめざす考え方が徐々に広がっていきます。[*14] 人間中心主義の理念に立てば、この世で一番尊いのは「個人」であり、人間一人ひとりが自立して自分の「個性」を伸ばすことこそが人類の目標となります。

しかし、20世紀に入ると、そうした人間中心主義の考え方がさまざまな弊害を伴うものであることが少しずつ明らかになってきました。その1つが環境破壊です。人間の自主性や自由を重んじる人間中心主義者は、人間という種の保存を何よりも優先し、人類のためならば自然を破壊してもかまわないと考え、数多くの環境破壊を行ってきました。1960年代にそうした環境破壊によって大気汚染や土壌汚染などの被害が社会問題となると、それまでの自然を軽視する考え方に批判の目を向け始める人々が増えてきます。その流れの1つがエコクリティシズムです。エコクリティシズムは、人間中心主義のようなエゴイスティックな考え方を否定して、環境を世界の中心に置きました。さらに、環境という視点から、私たち人類による自然の搾取や環境破壊を痛烈に批判します。人間から環境へと主眼を移したエコク

＊13 W. シェイクスピア『リア王』野島秀勝訳、岩波書店、2000年、191ページ。
＊14 ハロルド・フロム、ローレンス・ビュエル、ポーラ・G・アレンほか『緑の文学批評 ―エコクリティシズム―』伊藤詔子ほか訳、松柏社、1998年、41～60ページ。

物語の脇役に過ぎなかった「自然」

「自然」を主人公の地位へ

リティシズムの考えは、私たちが今まで抱いてきた自然観に大きな疑問を投げかけるものとなっています。

実際、エコクリティシズムが誕生するまで、文学作品において自然は脇役の地位に甘んじていました。例えば、イヌ、キジ、サルが桃太郎からキビダンゴをもらうという『桃太郎』のワンシーンを読むとき、私たちは動物たちを上から目線で見ているのではないでしょうか？　言いかえるなら、私たちはこの場面を読む際、無意識のうちに「イヌ、キジ、サルは人間のために働く良い動物だ」という人間中心的な考えに陥っているのではないでしょうか？　しかし、エコクリティシズムは私たち読者にそうした自己中心的な観点から離れ、動物たちの立場に立って物語を捉え直すという別のアプローチを呈示します。そもそも、一体なぜ山の奥地に住むサルが、自由と独立とプライドを捨て、人間からエサを恵んでもらわなければならなくなったのでしょうか？　ボスザルの地位を若いサルに奪われたのでしょうか？　山の食料がなくなり、飢餓に苦しんでいたのでしょうか？　人間たちに群れの仲間をみんな殺されてしまったのでしょうか？　このように、エコクリティシズムは文学作品に描かれる自然を、私たち読者の主観性から引き離し、より客観的に分析するよう読者を促します。言いかえるなら、私たちが文学作品を通して、自然の本質をより正しく理解し、環境問題を解決する役割を果たしているのです。[*15]

さらに、私たちはエコクリティシズムの手法を取り入れることによって、自然の立場になって人間という存在を捉えることも可能になります。例えば、動物たちにとって桃太郎はどのような存在だったのかを考えてみることができるかもしれません。イヌ、キジ、サルの立場になってみると、人間がいかに身勝手で冷酷な生き物であるかが明らかになるでしょう。桃太郎はキビダンゴ1個で動物たちを鬼退治という過酷で危険な仕事に従事させる動物虐待者という見方もできます。しかも、鬼たちの財産はすべて桃太郎がせしめてしまい、彼らは何のおこぼれにもあずかれません。おそらく鬼ヶ島から帰ったら、契約社員のようにすぐにクビにされたことでしょう。こうした洞察から、桃太郎は最初から彼らの窮状につけこんで足元を見ていたことが察せられます。人間とは動物たちを奴隷とし、文字通り彼らを食いものにする、自然界のガンなのです。**レイチェル・カーソン**[*16]は人間を自然界の「寄生虫」と呼んでいますが、まさにこの表現がぴったりと当てはまるのではないでしょうか。人間たちは地球を覆い尽くし、土地を開発し、資源を浪費し、その搾取は止まるところを知りません。桃太郎と動物たちの関係は、エコクリティシズムの目線から見ればまさに人間の身勝手な環境破壊のアレゴリー（隠喩）なのです。

＊15　Kei HINOHARA「Distance to Nature : Some Cases of Controversy over Language in Ecocriticism」『Paulownia review』23号、大東文化大学大学院英文学研究会、2017年、1～2ページ。

＊16　レイチェル・カーソン　アメリカの生物学者（1907～64）。著作活動を通じて農薬や公害による環境破壊を警告し、とりわけ1962年に出版された『沈黙の春』は大きな反響を呼んだ。

環境の危機とは、我々の想像力の危機である

ピントをずらす

しかしながら、実際のところ、私たちはあまりにも人間中心主義の考えに浸っているがゆえに、自然の立場から人間について考えるだけの想像力を持ち合わせていません。この点について的確に指摘したのが、エコクリティシズムの先駆者である、アメリカの文学者**ローレンス・ビュエル**でした。ビュエルは1995年にエコクリティシズムの金字塔**『環境的想像力』**（未邦訳）を発表し、その中でこう述べています。

> 歴史的に、自然環境を描写した文学作品は「アピール」と「隔離」という2つの目的の手段として用いられてきた。文学作品は我々に環境問題に敏感であるように訴える一方、自然を美化された場所として私たちから遮断する。……昨今の環境倫理学者が主張するように、もし環境問題を扱うために西洋の形而上学や倫理学が見直されねばならないのであれば、それはつまり「環境の危機」とは「想像力の危機」を含んでいるということである。我々は自然と人間性との関係をより良く想像できる方法を探さねばならない。すなわち、我々はこの世界のテクノロジー・パワーの担い手である人類が残した自然描写をさらに徹底的に分析する必要がある。*17

ここでビュエルは、私たちが文学作品を読む際に見過ごしてしまう盲点について鋭く批判しています。私たちは作品を読む時、そこに描かれる自然を文明社会とかけ離れた、あたか

もショーウィンドウに飾られた見せかけの美しさとしてしか捉えようとしません。それは、作品に描かれる人間模様にピントを合わせているがゆえに、自然という存在をそこから隔離しようとする人間中心主義の現れと言えるでしょう。もしくは逆に、私たちは作品を読む際に、自然を本来の姿とは違った形で認識しているかもしれません。例えば、いわゆる**ロマン主義文学**[*18]と呼ばれている作品の中には、自然が作者の理想化された形で描かれているものが数多くあります。また、**ゴシック小説**[*19]はしばしば自然に悩まされる人類の姿を描き、自然を恐怖の根源として表現していることが少なくありません。私たちはロマン主義文学の叙情的な自然描写やゴシック小説に登場する恐ろしい自然描写に影響され、それを現実の自然の姿として受け入れてしまっているのではないでしょうか。ビュエルは、こうした人間による自然の歪曲化（わいきょく）に反対し、私たちは自然を主役に据え、自然に力点を置いて作品を解釈するべきだと主張しています。

エコクリティシズム批評の実例

こうしたエコクリティシズム批評の一例として、ビュエルによる**ウィリアム・フォークナー**[*20]の短編『**熊**』[*21]の分析を見てみましょう。物語の主人公は、アイクという少年です。彼の

*17 Lawrence Buell, *The Environmental Imagination,* Cambridge, MA: Belknap Press of Harvard University Press, 1995.
https://malikmadrigalreic.files.wordpress.com/2017/05/by-lawrence-buell-the-environmental-imagination-thoreau-nature-writing-and-the-formation-of-american-culture-1st-first-edition-by.pdf

***18 ロマン主義文学** 18世紀後半にヨーロッパで誕生した文学作品で、自然に対する叙情的な感覚を重視し、また自然との直接的な接触に霊感を求めた。

***19 ゴシック小説** 18世紀後半にイギリスで流行した中世風の怪奇恐怖小説を指す。

***20 ウィリアム・フォークナー** アメリカの小説家（1897〜1962）。その実験性、内容の暗さのゆえに久しく忘れられていたが、現在では20世紀の最も重要な作家の一人とみなされている。1949年ノーベル文学賞受賞。代表作は『響きと怒り』『アブサロム、アブサロム！』など。

***21 『熊』** W. フォークナー、加島祥造訳、岩波書店、2000年。原著は *The Bear,* 1942.

夢は一人前のハンターになって、森に君臨している大熊「オールド・ベン」を仕留めること。アイクは、他のハンターたちや老人サムと共にオールド・ベンを追いつめ、最後にはオールド・ベンを倒すことに成功します。ビュエルは、**『絶滅の危機に瀕した世界を描く――アメリカとその彼方における文学、文化、環境』**（未邦訳）において、この物語に登場する大熊オールド・ベンを、森という自然領域を具現化する存在として、「**環境イコン**」と呼びました。[*22] 言いかえるならば、人間にとって神秘的で畏敬の念を感じる森の領域を、フォークナーは大熊というアイコンで表象したのです。一方で、こうした環境イコンは、環境破壊を推し進める人類にとって打ち倒すべき自然の力の象徴ともなります。人類はオールド・ベンのような動物を畏怖（いふ）し、そうした存在を通して大自然の力に敬意を払ってきたのです。こうした点から考えれば、文学作品における環境イコンは、人類に自然との共存を促すうえで重要な役割を担ってきたと言えるでしょう。

もちろん、エコクリティシズムは文学作品における自然環境の存在を過度に重視するあまり、作品における社会的、文化的な人間活動の描写を無視しているという批判も存在しています。たしかに、人間と社会は切っても切れない関係にあり、作品における文化的な要素を否定することは、作品自体を否定することにもつながりかねません。こうした反発に対して、ビュエルは２００５年に**『環境危機と文学的想像力』**[*23] の中で「**環境批評**（environmental criticism）」という新しいコンセプトを提言しました。環境批評とは、自然のみを強調して一方的に人間を排斥するような過激な思想ではなく、文学作品において自然と社会はどのように調和しているのかという、両者の相互関係について探究する姿勢を指します。いずれにしても、エコクリティシズムも環境批評も生まれてからまだ日が浅く、未だ大いに発展の余地がある研究対象であると言えます。

人文情報学批評

人文情報学という分野は、昨今のテクノロジーの進歩によって誕生した、21世紀を担う新しい学問の1つです。現在、私たちはかつてない急速な技術革新を経験しています。ほんの30年前まで、パソコン、スマホ、タブレットといった電子機器は私たちのまわりにはありませんでした。しかし、21世紀を生きる私たちにとって、こうした機械はもはや生活必需品となりつつあります。人文情報学とは、こうしたデジタル技術を駆使して文学作品の分析と理解をさらに深めようと試みる学問のことを指します[*24]。

現在、科学技術の発展により、デジタル技術は私たち人間が数十年かかる作業をほんの数秒で行うことが可能となりました。例えば、ある作家が用いる表現パターンを分析したいな

人文情報学——デジタル技術を文学に適用する

＊22 L. Buell, *Writing for an Endangered World: Literature, Culture, and Environment in the U.S. and Beyond,* Cambridge, MA: The Belknap Press, Harvard UP, 2001, 201-203.

＊23 『環境危機と文学的想像力』 L. ビュエル、伊藤昭子ほか訳、鶴見書店、2007年。

＊24 永崎研宣「デジタル・ヒューマニティーズとテクスト研究」『日本近代文学』95巻、日本近代文学会、2016年、143ページ。

ら、特定の言葉をパソコンに入力することで、すぐに何百万という文字の中から検索できるのです。とりわけ、グラフィック・ノベルや映像作品と違い、文字だけで構成されている文学作品は、人文情報学を応用して分析するのに最適な分野であると言えるでしょう。実際のところ、現代において「読む」や「書く」という行為自体、デジタル技術を抜きにしては成り立たなくなりつつあります。そもそも私たちはすでに、ニュース記事や小説を、スマホやキンドルといったデジタル方式で読んでいるのではないでしょうか。こうした点から、人文情報学は文学とデジタル技術の関係を改めて見直す立脚点であるとも言えるでしょう。テクノロジーが実際にどのように文学研究に貢献できるのか、アメリカの全米人文科学基金の顧問を勤める**ジョン・アンスワース**は自著**『人文情報学とは何か、そしてそれは英文学科において何を成し遂げているか?』**（未邦訳）においてこう述べています。

> 私たちは人文学の分野においてコンピューターを有効に活用することができます。その1つは、コンピューターを使って人文学にまつわるすべての情報と知識を数理的にモデル化することです。これは、私たちがコンピューターを使って入力したり、会話したり、録音したりする活動とはまったく違う作業なのです。*25

文学を数理的にモデル化する試み

私たちは普段、様々な目的でデジタル技術を使っています。例えば、LINEで友達と話したり、通勤電車の中で好きな音楽を聞いたり、交通アプリで目的地までの最短ルートを探したりする際に、私たちはパソコンやスマホを利用することでしょう。しかし、アンスワースはここでデジタル技術の別の使い道を指摘しています。私たちはデジタル技術を通して膨大な文学的知識を数理化し、分析することができるのです。例えば、**安部公房**[*26]の**『砂の女』**[*27]における砂のイメージについて研究しようと思っている場合を考えてみましょう。もし手元に『砂の女』の電子版があれば、「砂」と入力して検索ボタンをクリックすることで「砂」という単語がどのページに何回出てくるかすぐに分かります。私たちはこのように、文学の数理的モデル化を通して文学研究をさらに深く行うことができるのです。実際、この点についてアメリカの文学者**マシュー・カーシェンバウム**は**『人文情報学における論議』**（未邦訳）でこのように述べました。

人文情報学は英文学とどのような関わりがあるのでしょうか？ 最初に、文学作品を電子化することによって、文学作品は一番扱いやすいデータとなりました。英文学研究と密接に関わっている文体論、言語学、作者論などの分野に欠かせない情報処理の作業をデジタル技術が担っているのです。[*28]

＊25 John Unsworth, *"What is Digital Humanities and What is it Doing in English Departments?"* Maryland Institute for Technology in the Humanities at the University of Maryland, College Park MD, October 5, 2000.
http://www.people.virginia.edu/~jmu2m/mith.00.html

＊26 安部公房 小説家（1924～93）。花田清輝やカフカの影響下に出発し，芥川賞受賞作『壁 S·カルマ氏の犯罪』で注目を浴びた。さらに『砂の女』『他人の顔』などで社会や人間関係の閉鎖性と脱出の可能性を超現実的、前衛的手法で追求。日本現代文学を代表する一人として海外でも広く読まれた。

＊27 『砂の女』 安部公房、新潮社、2014年。初出は1962年。

＊28 Matthew G. Kirschenbaum, *"Debates in the Digital Humanities,"* Minnesota Scholarship Online, 2015, 60.

人文情報学を用いたジェーン・オースティン研究

デジタル技術はテキスト分析において非常に重要な役割を果たしています。前にも述べた通り、私たち人間にとって数十年かかるような作業をデジタル技術はものの数秒で行うことができるのです。例として、歴史学者**ダン・コーヘン**と**フレッド・ギブス**が取り組んだプロジェクトを見てみましょう。[*29] 彼らは１７８９年のフランス革命から第一次世界大戦が勃発する１９１４年までの期間に英語で出版された約１６８万冊を分析して、当時のイギリス人が抱いていた信条や思想を正確に把握しようと考えました。しかし、そのためには１６８万冊のすべての本に目を通さなければならず、膨大な時間と労力がかかってしまいます。そこで、コーヘンとギブスはデジタル化された電子書籍を使い、「神」「科学」「革命」などのワードを検索する方法を用いました。こうすることによって、分析作業は効率化し、彼らは当時のイギリス人が神や科学、革命についてどのように考えていたのかを知る手がかりを見つけることができました。

もう1つの例として、オーストラリアの英文学者**ジョン・バロース**の手法に注目してみましょう。彼は、イギリスの作家ジェーン・オースティンの作品を分析する際にデジタル技術を応用しました。[*30] オースティンは**『自負と偏見』**や**『エマ』**などに代表されるような人間関係の機敏を繊細に描写した作家として定評がありますが、同時に英文学において最初に**自由間接話法**を発展させたことで有名な作家でもありました。自由間接話法とは、語り手が自らの言葉を用いつつ、主人公の視点から読者に物語を伝える語りの形の1つです。バロースはオースティンの作品に見られるいくつかの言葉をパソコンで検索し、オースティンの文学的な傾向を研究してみました。そして彼は、自由間接話法がオースティンの初期の作品よりも後期の作品により多く見られることに気づきます。オースティンは作家として物語を書き続けるうちに、より深く登場人物の内面に焦点を当てるようになっていったという事実がこうして明るみになりました。

このように、私たちはデジタル技術を用いることで、今まで発見することができなかった文学の分野での新しい知識を見出すことができます。『桃太郎』を例に挙げれば、物語の設定が歴史を通してどのように変わっていったのか、その変遷をデジタル技術で解明することも可能です。実際、江戸時代の草双紙による『桃太郎』と現在普及している『桃太郎』とでは、ストーリーが大きく異なっています。あらゆる文学作品をデジタル化することで、私たちはこうした比較研究をさらに効率よく行うことができるのです。人文情報学の登場によって、21世紀の文学研究が飛躍的な進歩を遂げることは間違いないでしょう。

***29** Dan Cohen, *"Searching for the Victorians."* Dan Cohen, 4 Oct. 2010 https://dancohen.org/2010/10/04/searching-for-the-victorians/.

***30** J. F. Burrows, *Computation to Criticism: A Study in Jane Austen's Novels and an Experiment in Method*, Oxford University Press, 1987.

***31 ミシェル・フーコー** フランスの哲学者（1926～84）。レヴィ＝ストロースと精神分析の影響のもとで、科学史、思想史の認識論の分野を開拓、西欧文明の歴史における思考形式の構造の変遷を探る。

***32 『狂気の歴史』** M.フーコー、田村俶訳、新潮社、1975年。

***31** 同書、182～183ページ。

コラム

精神病の誕生

哲学者**ミシェル・フーコー**[*31]は、歴史を通してヨーロッパの人々がどのように精神病者を扱っていたのかについて**『狂気の歴史』**[*32]で説明しています。彼は中世における精神病に対する見方と、現代における精神病に対する見方はまったく異なっていたと指摘しています。例えば、中世では狂気が神から授けられたものであり、狂った人間とは天才的な想像力を神から付与された者であるという見方が広まっていました。したがって、中世の人々は狂人を遠ざけることはなく、社会の一員として扱っていたのです。しかし、産業革命以降の近代では、人間は「使える／使えない」という二項対立のくりでしか評価されなくなり、狂った人間は「労働不適格者」として社会から排除されるようになります。「精神病をつくりだしている澄みきった世界では、もはや現代人は狂人と交流してはいない。……両者のあいだには共通な言語は存在しないのである」[*33]とフーコーが述べているように、現代において精神に障害を持つ人々は「精神病」というレッテルを貼られ、社会から完全に隔離されるようになりました。

このように、社会の考え方や価値観は時代によって次々に変化します。フーコーは、その時代特有の思考の枠組みを「**エピステーメー**」と名付けました。彼によれば、19世紀以前のエピステーメーと19世紀以降のエピステーメーはまったく別物であり、現代のエピステーメーに浸っている私たちにとって、中世の思考回路を理解することはできません。このことを踏まえれば、「健常者／障がい者」というくくりも、このような19世紀以降の近代的エピステーメーによって人工的に作られた幻想であると言えるでしょう。

第11章 文学批評の実例
――アルベール・カミュ『異邦人』研究

この本を通して、私たちは脱構築批評、精神分析批評、マルクス主義批評など、さまざまな文学理論を学びました。最終章では、これまでの勉強の集大成として、実際に文学理論を用いた文学批評にチャレンジしてみましょう。第2章で述べたように、ある文学作品を文学理論を用いて色々な角度から批評することは、作品の深層を掘り下げてその芸術的本質を理解する助けとなり、また同時に自らの批判的思考力（クリティカル・シンキング）を訓練する絶好の機会ともなります。今回は、その習作として**アルベール・カミュ**[*1]の**『異邦人』**[*2]を取り上げることにしました。『異邦人』は発表以来数多くの論争を巻き起こしてきた、20世紀を代表する文学作品の1つです。一方、その簡潔で乾いた文体はきわめて読みやすく、高校生からでも楽しく読める作品として、フランスの高校で文学の教科書として使われてきました。『異邦人』を通して、文学批評の手法を体験してみましょう。[*3]

『異邦人』のあらすじ

舞台は20世紀前半のアルジェリア。主人公ムルソーに母の死を知らせる電報が届いた。葬式のために彼は母が住んでいた養老院を訪れる。しかし、ムルソーは母親の顔を見ることを拒み、涙を流すどころか、何の感情も見せなかった。葬式の明くる日、彼は海水浴場に行き、ガールフレンドのマリイと関係をもち、その後も

アルベール・カミュ
『異邦人』

自分が働いている商社に出勤するなど、いつもと変わらない生活を過ごす。ある日、彼は近所のレエモンというやくざと出会い、意気投合した。レエモンはムルソーに、自分を裏切ったアラビア人の情婦を懲らしめるため協力してほしいと頼み、ムルソーはそれを引き受ける。レエモンは喜び、彼に知人マソンが住んでいる地方の別荘へ行かないかと誘った。ムルソーはこれを快諾する。しかし、彼らは別荘の近くの浜辺でレエモンに敵意を抱くアラビア人と出会ってしまい、太陽の暑さに意識がもうろうとしていたムルソーはアラビア人を射殺してしまう。ムルソーは逮捕され、裁判所で裁かれることになった。裁判では、アラビア人殺害についてはまったく触れられず、逆に母親の葬式における冷酷な態度や、葬式の翌日に女と情事にふけったことを指摘され、ムルソーは「反社会的な怪物」というレッテルを貼られてしまう。ムルソーは殺人の動機を「太陽のせいだ」と述べるが、聴衆の失笑を買うだけだった。ムルソーは死刑を宣告されるが、彼はそれでも自分は幸福であると感じ、処刑の日に民衆から罵声を浴びせられることだけを望む。

＊1　アルベール・カミュ　フランスの作家（1913〜60）。『異邦人』を通して人間の運命の不条理と、運命に反抗して自由を求める人間の尊厳とを説いた。1957年にノーベル文学賞を受賞。

＊2　『異邦人』　窪田啓作訳、新潮社、2014年。原著は *L'Étranger*, 1942.

＊3　今回の『異邦人』研究では、三野博司『カミュ『異邦人を読む』』（彩流社、2011年）、松本陽正『異邦人研究』（広島大学出版会、2016年）、および東浦弘樹『晴れた日には『異邦人』を読もう』（世界思想社、2010年）を参照した。

『異邦人』―― 構造主義と脱構築批評

文学批評の第一歩は、問いを立てること

『異邦人』における二項対立

文学理論を文学作品に適用するには、文学理論をもとに「問い」を立てることが肝要です。私たちの洞察を促す「問い」を立てることで、研究アプローチの方向性をあらかじめ定めることが可能となり、ひいては作品に対する新たな考察を見出す出発点ともなりえます。構造主義と脱構築批評において重要となる「問い」には、以下のような質問が挙げられるでしょう。

- 作品にはどのような二項対立が存在しているか？
- 作品における二項対立は私たちの社会の構造をどのように示しているか？
- 物語を通して二項対立は脱構築されているか？　どのように脱構築されているのか？

このような自問自答を行うことは、文学批評をテンポよく行う上で欠かせません。それでは、右の設問を参照しながら『異邦人』を解析してみましょう。

『異邦人』には数多くの二項対立が登場します。例えば、「男性と女性」という二項対立を挙げることができるでしょう。作品に登場する男性キャラクターは、主人公ムルソーの他に、友人レエモンやマソン、さらには名も無きアラビア人たちがいます。一方で、女性の登場人物としては、ムルソーの母親やムルソーの恋人マリイ、そしてレエモンの情婦であるアラビア人の女などが思い浮かびます。二項対立の別のケースとしては、「文明と自然」も考えられるでしょう。文明を代表する事物としては養老院や法院などの建造物、もしくはムルソーの母親の葬式やムルソーの裁判といった、私たち人間を束縛する社会的規範や社会機構などが挙げられます。反対に、自然を象徴するものとして、物語に度々登場する太陽や、ムルソーが好む海などが思い起こされるかもしれません。『異邦人』で登場する二項対立の事例としては他にも「白人とアラビア人」「都市と田舎」「若さと老い」「キリスト教と無神論」など、たくさん考え出すことができるでしょう。分かりやすいように表にして以下に整理してみます。

次に脱構築批評について考えてみましょう。ジャック・デリダによれば、上記のような二項対立は決して平等な関係にあるのではなく、はっきりと階層化されており、価値の優劣が含まれています。例えば、男性は常に女性に対して優位に立っており、社会において女性は男性と同じ立場に立つことはできません。また、「文明と自然」においては、「自然環境は人間のために利用されるべき」と考える「人間中心主義」の考え方が社会の固定観念として存在し、ここにも上下関係が見え隠れして

『異邦人』における二項対立

男性と女性	**男性**：主人公ムルソー、レエモン、マソン、アラビア人の男たち	**女性**：ムルソーの母親、マリイ、レエモンの情婦
文明と自然	**文明**：養老院や裁判所などの社会的建造物、葬式や裁判などの社会規範	**自然**：ムルソーを苦しめる太陽、ムルソーが愛する海
白人とアラビア人	**白人**：ムルソー、レエモン、マリイなど	**アラビア人**：レエモンの情婦、養老院の看護師、ムルソーに殺された青年など

います。「白人とアラビア人」では言うまでもなく、白人による民族差別が歴史を通して行われてきました。脱構築批評においては、果たしてこうした二項対立の階層秩序が物語の中で転倒されているのかに注目します。それでは『異邦人』の物語では、二項対立の上下関係は逆転されているのでしょうか？　興味深いことに、『異邦人』では、主人公が「自然」のシンボルである「太陽」になす術もなく支配されている場面が描写されています。例えばムルソーが参加した母親の葬式の場面では、すべてを焼き尽くすかのようなするどい太陽の熱線がムルソーの思考を奪いました。母親の葬式にもかかわらず、彼は母親のことよりも、横になってぐっすり眠ることしか考えていません。また、ムルソーがアラビア人を殺害する場面では、太陽が「きらめく長い刀」「ほとばしる光の刃」「焼けつくような剣」[*4]などと何度も刃物に喩えられており、あたかもムルソーは太陽に刺し貫かれ、太陽に操られるがままに殺人を犯しているかのような印象を読者に与えています。これらの詩的な表現は、今まで私たちが当たり前のように抱いていた「文明と自然」の安定性を再考させるものとなるかもしれません。

『異邦人』——精神分析批評

精神分析批評では、主にフロイトが提唱したエディプス・コンプレックスとラカンの理論について見てきました。精神分析理論に基づいて作品を分析する際には、以下のような問いを立てると良いでしょう。

- フロイトの精神分析理論を参照することで、登場人物のアイデンティティーに関する認識はどのように深まるか？
- 作品に対する作者の意図は、精神分析理論によってどの程度明らかになるか？
- ラカンの理論は、作品を理解する上でどのように参考になるか？

ムルソーと母親との異常な関係

ここではまずフロイトの精神分析論を用いて『異邦人』の真相に迫ってみましょう。

主人公ムルソーと母親の関係は、決して「普通の関係」とは言えません。例えばムルソーは、作品の冒頭で母親のことを「ママン」と呼んでいます。ママンとは日本語の「ママ」と同じような意味合いを持っているので、大の大人であるムルソーが母親をママンと呼ぶのはちょっと異常です。また、母親が養老院に住むことになると、ムルソーは衣装箪笥(だんす)や化粧机などが置かれている母親の部屋で住むようになります。このような母親の日用品への執着や、母親をママンと呼ぶ行為などは、ムルソーの母親に対する感情が並々ならぬものであったこ

*4　A. カミュ、前掲書、77ページ。

とを物語っているのではないでしょうか。つまり、ムルソーは「ママン」への依存の中にずっと留まっており、母親との親密な関係から抜け出そうとしていないのです。

しかしながら、ムルソーは母親の葬式で涙を流さず、母親の顔を見ることも拒否していました。しかも、葬式が終わると「結局、何も変わったことはなかったのだ」[*5]と考え、あたかも母親の死を取るに足らない出来事のように形容しています。母親を異常なまでに愛しているはずのムルソーが、なぜこれほど冷淡な態度を見せたのでしょうか?

この謎を解くためのヒントが、フロイトの理論に隠されています。**「悲哀とメランコリー」**[*6]の中で、フロイトは「**喪の作業**」という概念を提唱しました。喪の作業とは、ある人が自分の愛する者を失った時、その悲しみを乗り越えるために失われた対象と決別し、新しい人生を歩む決断をするプロセスのことです。私たちは家族や友人が亡くなると、その死を悼む(いた)と同時に、死者に別れを告げることで、相手との関係に終止符を打たなければなりません。しかしながら、死者に対する愛着があまりにも強い場合、その人は相手の死を受け入れられず、喪の作業は失敗に終わる可能性があります。「それに反発があるのは言うまでもない。……つまり、人は自発的に自らの**リビドー**[*7]の位置を捨てようとはしないのである。たとえ、その代わりとなるものが彼に与えられていたとしてもである」[*8]、フロイトはこのように述べて、近親者の死をなかなか受け入れられないケースが存在することを指摘しました。

この仮説を『異邦人』研究に応用したのが、**アルミンダ・A・ド・ピション=リヴィエールとウィリー・バランジェ**です。彼らは1959年に発表した**『喪の抑制及びパラノイア型統合失調症のメカニズムと苦悩の強化(カミュ『異邦人』に関するノート)』**[*9](未邦訳)において、

「喪の作業」に失敗したムルソー

ムルソーの不可解な言動を喪の作業に失敗した結果として解釈しました。彼らによれば、喪の作業に失敗した人間は、相手が死んだという事実を否定しようとしたり、愛する人の後を追って自殺することさえあります。これらの点を踏まえると、ムルソーが葬式の場面で見せた言動も理解できるのではないでしょうか。母親の前で涙も流さず、死に顔を見ることも拒絶するという行為は、母親の死という現実を認めたくないというムルソーの強い感情を表していると言えるでしょう。また、ムルソーは自身の死刑宣告が下された後でも、自分は「今なお幸福である」[*10]と述べていました。この点についてピション＝リヴィエールとバランジェは、ムルソーが無意識のうちに母親との一体化を願っており、処刑されることで死の世界で母親と一緒になることを望んでいたと指摘しています。言いかえれば、ムルソーは象徴的な自殺を図っていたということになります。

一方、『異邦人』をラカンの理論によって解読しようと考える批評家もいます。批評家**内田樹**は、論文**「父なき世界『異邦人』を読む」**において、主人公ムルソーを「想像界」から「象徴界」へ踏み出すことを拒否した人間であると分析しました。

＊5　同書、32 ページ。

＊6　「悲哀とメランコリー」　S. フロイト『フロイト著作集第 6 巻』井村恒郎ほか訳、人文書院、1970 年、所収。

＊7　リビドー　性的衝動の源にあるエネルギー。

＊8　S. フロイト、前掲書、142 ページ。

＊9　『喪の抑制及びパラノイア型統合失調症のメカニズムと苦悩の強化（カミュ『異邦人』に関するノート）』　Arminda A. de Pichon-Rivière et Willy Barranger, *Répression du deuil et intensifications des mécanismes des angoisses schizo-paranoïdes (notes sur L'Étranger de Camus)*, Revue française de psychanalyse, n°3, tome XXIII, mai-juin 1959.

＊10　A. カミュ、前掲書、156 ページ。

『異邦人』はラカン的に読めば、全編がエディプスの物語である。厳密には「エディプスが破綻する物語」である。1人の幼児が想像界から象徴界への移行プロセスをたどりきれずに「人間」になれず、死ぬ、という物語である。*11

ムルソーは想像界に留まることを決意した

ラカンによれば幼児は当初母親との一体化を経験し、外界からの束縛が一切存在しない至福の状態を経験します。これが「想像界」と呼ばれるものです。しかし、私たちは成長するにつれ、父親が課すさまざまなしつけを受け入れ、社会の一員とならなければなりません。ラカンは、この社会規範の世界を「象徴界」と名付けました。ムルソーは葬式のシーンで母親の顔を見ることを拒否しますが、それは社会が押し付けるルール（死者の前で泣かなければならないというルール）を拒絶する行為に他なりません。つまり、ムルソーは母親の死という事実を認めないことによって、象徴界そのものを拒否したということになります。その結果、ムルソーは「その父に対して自ら凶行の手を下した男」*12、つまりは「父親殺し」と同等の罪を犯した人間として、死刑を宣告されることになったのです。物語の終盤、刑務所に収監されているムルソーの前に、神父が現れます。神父はムルソーが神の存在を受け入れることで、フランス社会の規範を彼に認めさせようとしますが、ムルソーは最後まで神父の言葉を受け入れることはありません。これは、ムルソーが想像界に留まり、象徴界へ決して赴（おもむ）かないという決意表明なのです。このように、私たちはフロイトやラカンの精神分析理論を応用することで、主人公の言動の真意や、作品のプロットに対する洞察を深めることが可能となります。

『異邦人』──マルクス主義批評

マルクス主義批評は現実の社会的・経済的関係が作品の中でどのように表されているのかに焦点を当てます。とりわけ、私たちが気づいていない社会の不平等を作品の中で指摘し、提起することで問題解決への糸口を見出そうとします。マルクス主義批評を作品に適用する際には、以下のような問いを立てると良いかもしれません。

- 作品はどの程度、現実の社会構造を反映しているか？
- 作品において社会的不平等はどのように描かれているか？
- 作品の中にはマルクスの理論（疎外論や階級闘争）を象徴する描写が存在しているか？

『異邦人』が描く資本主義の社会構造

主人公ムルソーの社会的・経済的関係に注目してみると、まず彼はアルジェリアの都市アルジェにある商社に勤めていることが確認できます。彼はそこの事務所で船荷証券を点検す

*11 内田樹「父なき世界『異邦人』を読む」、難波江和英・内田樹『現代思想のパフォーマンス』（松柏社、2000年）所収、258ページ。

*12 A. カミュ、前掲書、129ページ。

る仕事をしていました。会社の社長は、ムルソーの母親が亡くなったにもかかわらず、彼に休暇を与えることを嫌がります。また、トイレの手ぬぐいを交換したいというムルソーの要望を「つまらぬ些事に過ぎない」[13]として受け入れません。これらの描写を、資本主義社会における資本家階級のイメージとしてみなすことも可能でしょう。資本家にとって一番重要なことは利潤の追求であり、そのためには労働者を酷使させることさえ厭いません。労働者を単なる部品としかみなさない資本家は、彼らを必要以上に働かせ、そこから発生した利益を我が物とすることで富を貯めようとします。こうした、資本家による労働者の搾取と抑圧が『異邦人』にも表現されていると言えるでしょう。

フランス人に搾取されるアルジェリア人たち

もうひとつ考慮したいのは、社長がムルソーに明かしたビジネス計画です。社長は、「パリに出張所を設けて、その場で取引を、しかも直接大商社相手に取り結ばせたいという意向」[14]を持っており、その役目をムルソーに引き受けてもらおうと考えていました。このシーンから見えてくるのは、ムルソーが生活しているアルジェという町の、経済的なポジションです。20世紀前半のアルジェは、フランスの植民地下にありました。フランス人たちはアルジェリアの資源を搾取する一方、フランスの生産物をアラビア人たちに売りつけることで、経済的な繁栄を築いていたのです。ムルソーが勤務していた商社も、フランス本国との取引なしでは経営が成り立たない状況にありました。ムルソーが生きていた社会は、まさにこうした植民地構造の縮図でもあったのです。

こうした関係は、アルジェリアに住むフランス系アルジェリア人たちにアンビバレントな感情を与え続けてきました。彼らはフランス本国を特権的な、憧れの対象としてみなすと同時に、あくまでも二級の土地に住まざるを得ない自らのアイデンティティーに対して劣等感も抱いていたのです。『異邦人』においても、宗主国フランスへの憧れと反発の感情が発露されています。例えば、養老院の門衛はかつてパリで生活していたことがあり、未だにパリの生活を忘れかねて、パリへの憧憬の念を隠そうともしません。一方、ムルソーもパリで生活していた経験がありましたが、「きたない街だ。鳩と暗い中庭とが目につく。みんな白い肌をしている」[*15]と述べ、フランスへの否定的なイメージを露わにしています。このように、登場人物たちの心理には、アルジェリアとフランスの社会的な上下関係が色濃く影を落としていたことが分かります。

『異邦人』――フェミニズム批評

フェミニズム批評では、社会における不平等問題や権力の構造をジェンダーの視点から捉えます。したがって、作品に登場する女性たちの言動や、作品の中で女性への差別がどのよ

*13　同書、33ページ。
*14　同書、53ページ。
*15　同書、56ページ。

うに展開されているのかに焦点を当てています。フェミニズム批評を試みる際には、以下のような問いを考慮しつつ作品を読むようにしてみましょう。

- 作品に登場している男性と女性はどのような人物か？
- 作品には「男らしさ」や「女らしさ」といった伝統的な観念が存在しているか？
- 作品において、女性差別の構造はどの程度現れているか？

「男らしさ」という虚構

『異邦人』に登場する男性は主にムルソーや彼の友人のレエモンであり、一方でムルソーのガールフレンドであるマリイやレエモンの情婦であるアラビア人の女などが主な女性キャラクターとして登場しています。ジェンダーの視点から『異邦人』を分析してみると、ムルソーもレエモンも「男らしさ」の象徴として「暴力」を肯定していることが窺えます。例えばアラビア人に出くわした際、ムルソーやレエモンは彼らとサシでやりあうことしか考えていません。暴力によって自己の優位性を見せつけることこそ、「男らしい」人間だと信じていたのです。また、レエモンは「血を見るほどに」[*16]アラビア人の女をなぐりつけ、暴力によって女性を支配していました。しかも、ムルソーはそれを非難するどころか、レエモンの暴力事件を「なかなか面白い話だ」[*17]と述べ、さらにはもう一度女を虐待するために彼に手を貸しています。

ほかにも、物語に登場する女性たちが、男たちの性的欲望を満たすための対象として描かれていることにも注目しましょう。そもそもレエモンがもう一度女を虐待しようとしたのは、

「まだあの女の体にいくらか未練を感じて」[*18]いたからでした。ムルソーも、マリイに好意を抱いて彼女と肉体関係を結んでいますが、彼女に二度も愛していないとはっきり述べ、マリイをセックスフレンド以上の存在としては考えていません。事実、ムルソーは独房に入ると、彼女についてこう述べています。

彼女は病気かも知れない、死んだのかも知れない——そんな風にも考えられた、それは当然なことだった。今や離れ離れの2人の肉体以外に、われわれを結びつける何ものもなく、またお互いを思い起こさせる何ものもないのだから、そんな消息をどうして私は知りえただろう。それに、このとき以来、マリイの思い出はどうでもよくなった。[*19]

男たちに搾取される女たち

ムルソーにとって、マリイはあくまでも性的なはけ口の対象でしかなかったのです。このように、『異邦人』をジェンダーの視点から考察することで、当時のアルジェリアに存在していた暴力による性支配のメカニズムが見えてくるのではないでしょうか。

＊16　同書、40ページ。
＊17　同書、41ページ。
＊18　同書、同ページ。
＊19　同書、146ページ。

『異邦人』── ポストコロニアル批評

ポストコロニアル批評では、西洋と非西洋の関係にスポットライトを当て、西洋人がどのようにアジアやアフリカの文化を踏みにじり、貶め、偏見のまなざしで捉えてきたかを研究します。とりわけ、西洋国家によって植民地とされてきた地域に注目し、植民地支配がいかに搾取や人種差別を助長してきたのか、その社会的影響について扱います。したがって、ポストコロニアル批評に基づいて文学作品を分析する場合は、以下のような問いを立てることが適切でしょう

- 植民地下に置かれた被植民地人たちの葛藤は作品において描かれているか？　それはどのように描写されているか？
- 作品において、西洋と非西洋の人々との差別的な関係は現れているか？　そうした政治的、文化的な抑圧の構造はどのように暗示されているか？
- 作品における登場人物の言動は、どの程度植民地主義を正当化しているか？

『異邦人』が映し出すフランスの人種差別

『異邦人』は長年、植民地主義に関連して数多くの批評家たちから批判の対象となってきました。例えば、エドワード・サイードなどは、『異邦人』を、アラビア人に対するフランス人の差別意識を反映する作品としてきわめて痛烈な言葉で非難しています。確かに、『異邦人』を読むと、アラビア人の存在が差別的に描かれているという印象はぬぐえません。ムル

ソーの裁判では、殺されたアラビア人についてまったく触れられていないばかりか、アラビア人側の証人は一切呼ばれていません。また、作中ではマリイ、レエモン、マソンなど、フランス人の登場人物には名前が与えられていますが、アラビア人の登場人物については全員名前がないばかりか、個性のない、1つの集団として描かれています。さらに、ムルソーは逮捕されて以来、母親やマリイのことについてはしばしば考えていますが、自分が殺したアラビア人については思い出すことさえまったくありません。

こうした点から、『異邦人』は当時のフランス植民地主義を反映させた作品に他ならないと考える批評家もいます。実際、この作品が執筆された1940年代のアルジェリアは、フランスの統治下にありました。アラビア人は政治的、社会的な権利をはく奪され、自分たちの固有の土地をフランスの入植民たちに奪われていたのです。しかしながら、フランス人たちはこうした差別的な政策を、フランス文化の優位性の名の下に正当化してきました。したがって、主人公ムルソーが最後に述べる「私はかつて正しかったし、今もなお正しい。いつも、私は正しい」[*20]という高らかな宣言は、アラビア人殺害を正当化するムルソーの心の声で

*20 同書、154ページ。

あり、ひいてはこうしたフランス人たちが抱いていた、アルジェリア支配を正当化しようという心の声を象徴しているものと論じている批評家もいます。このように私たちは、ムルソーの言動を通して、当時の差別意識に満ちた植民地主義イデオロギーを読み取ることもできるのです。

『異邦人』―― カルチュラル・スタディーズ批評

カルチュラル・スタディーズは、私たちの文化を政治や社会と連動したダイナミックなものとして考え、古典文学のみならず、ポップ・カルチャーやメディアまでをも射程に入れている理論です。また、そうした作品に潜在する政治的イデオロギーや権力関係に着目し、誰が、どのように、どんな目的で作品を生産／発信しているのかについても分析します。カルチュラル・スタディーズ批評に基づいて、以下のような問いについて考えてみて下さい。

- 時代の変遷によって、作品の解釈はどの程度変化しているか？
- 作品は大衆文化の中でどのように変容を遂げてきたか？　映画や漫画などの翻案は、作品にどの程度忠実であるか？
- この作品は名作リストの1つとしてみなされているか、それとも排除されているか？　そこにはどのような政治的、文化的要素が関係しているか？

『異邦人』が投げかけた不条理思想は、大衆文化に大きな影響を与えた

ここでは、『異邦人』のテーマがどのように当時の大衆文化に影響を与えたかについて考えましょう。『異邦人』の作者カミュはこの作品を通して、人生を非合理的で無意味なものだと考える**「不条理」**のテーマを読者に訴えかけたと言われています。不条理とは、人類はそもそも偶然によって誕生した存在であり、人間が生きていることにはなんの意味も目的もないという考え方です。これは、当時のヨーロッパ社会を支配していた**「大きな物語」**と真っ向から対立するものでした。大きな物語とはフランスの思想家**ジャン=フランソワ・リオタール**[*21]が提起した理論です。リオタールによれば、近代社会には人類を1つにまとめ上げるための社会システム、すなわち**「大きな物語」**が存在していました。例えば、「科学の発展による幸福な社会の実現」を掲げる進歩主義の物語、「労働者の自由と解放」を掲げるマルクス主義の物語、そして「豊かな生活の実現」を掲げる資本主義の物語などがそれに当たります。国家は、そうした理念の名の下に社会のルールや自らの社会政策を正当化してきました。

しかしながら、こうした「大きな物語」が押し付ける社会秩序に幻滅を味わい、それに反

＊21　ジャン=フランソワ・リオタール　フランスの哲学者（1924～98）。現象学、マルクス、フロイトの研究と批判から出発。主体や進歩主義という近代の理念を「大きな物語」として批判するポストモダンの立場を提唱した。著書に『ディスクール、フィギュール』『リビドー経済学』『ポスト・モダンの条件』がある。

発する若い人たちが1960年代以降に現れます。彼らは、まわりにはびこる環境汚染、貧困、道徳的退廃などを目の当たりにし、近代社会の正当性に疑問を抱きました。彼らにとって、「近代がはぐくんできた益体(やくたい)もない希望など、すでに歴史的に信用が失墜したものであった」[*22]のです。こうした近代社会のイデオロギーに反発した若者たちが生み出したのが、**カウンターカルチャー**（**対抗文化**）と呼ばれる文化でした。既存の社会秩序を否定したこのカウンターカルチャーは、『異邦人』のテーマである不条理にも少なくない影響を受けています。

『異邦人』とオルタナティブ・ミュージック

例として、1970年代後半に誕生した、**オルタナティヴ・ミュージック**について考えてみましょう。オルタナティブ・ミュージックの歌詞は一般的に「絶望感、情欲、当惑などといったつらい感情」[*23]を歌っており、まさにカウンターカルチャーが訴える「社会体制への失望感」がテーマとなっています。このオルタナティブ・ミュージックの嚆矢(こうし)となった有名なイギリスのバンド、「ザ・キュアー（The Cure）」は、1979年に『Killing an Arab（アラビア人殺害）』というファースト・アルバムを発表しました。これは『異邦人』にインスピレーションを受けて作られたと言われており、その歌詞は『異邦人』におけるムルソーのアラビア人殺害の場面を連想させます。

浜辺に立っている
手に銃を持ちながら
じっと海を見ている

じっと砂を見ている
地面に立っているアラビア人に
銃口を向けながら
彼の口が開くのを見る
しかし声は聞こえない
私は生きている
私は死んでいる
私は異邦人
アラビア人を殺す

こうした点を考えると、『異邦人』のテーマはオルタナティブ・ミュージックの発展に影響を与えたと言えるかもしれません。『異邦人』が強調する世界の無意味性や非合理性と、社会的イデオロギーを拒否し、それに対する絶望感を露わにするオルタナティブ・ミュー

＊22 T. イーグルトン、前掲書、232ページ。
＊23 「タイム」誌、1993年10月23日号。

ジックには確かに共通点があります。このような両者の類似性を考慮するならば、『異邦人』の大衆文化に対する影響力は決して無視できるものではないことが分かるのではないでしょうか。

『異邦人』――障害学批評

障害学批評は、まず私たちが抱いている「障がい者」という認識が文化的イデオロギーによって形成されていることを前提とします。その上で、文学作品において障がい者がどのように描写されているのか、どのような目的で登場しているのか、それは私たちの文化における障害に対する認識をどのように表しているのかといった点に注目します。例えば三島由紀夫の小説『金閣寺』の主人公溝口は、吃音（きつおん）という機能障害を持っています。したがって、障害学批評では、吃音という機能障害と作品のテーマとの関係性、当時の日本社会における障がい者に対する扱い、そして機能障害が主人公に与える社会的アイデンティティーへの影響などを探究します。障害学批評をベースとして文学批評を試みる際に、次のような質問を考えることは有益です。

- 作品において「健常／障害」の二項対立はどのように描写されているか？
- 登場人物の中に障害を抱えている人物は存在するか？　障害は作品においてどのような役割を与えられているか？

＊24　A. カミュ、前掲書、111 ページ。

なぜムルソーの母親は養老院に入ったのか?

● 障がい者に対する描写は、作品の文化的背景とどの程度関わりがあるか?

『異邦人』には、これといった特徴的な障がい者は登場しません。強いて挙げるならば、母親の親友であるトマ・ペレーズが軽く足を引きずっていたことが述べられていたことぐらいでしょう。しかしながら、養老院で亡くなったムルソーの母親が、何らかの機能障害を抱えていたという可能性は存在します。実際、裁判の場面でなぜママンを養老院に入れたのかと裁判長に尋ねられたとき、ムルソーは「それはママンに看護婦をつけたり、治療をしたりする金がなかったからだ[＊24]」と答えていました。ここから、ムルソーの母親は、看護婦の介護が必要なほどの身体的、もしくは精神的な障害を持っていたとも考えられます。

それでは、母親の障害は、作品のプロットや構造とどのような関わりがあるのでしょうか? 考えられる可能性としては、母親が障がい者であるという点が、ムルソーの不条理性を社会に見せつけるための設定(ストーリーのプロテーゼ)として機能しているという仮説です。ムルソーの母親が障害を抱えていたことで、彼女はやむを得ず養老院に引き取られることになり、それが原因となってムルソーのさまざまな反社会的行動が明るみになりました。もし彼女がムルソーの自宅や近くの病院で息を引き取っていたならば、母親の死に顔を見なかったと糾弾されることはなかったことでしょう。また、涙を流さなかったことがバレることもなかったかもしれません。しかし、もしそうなれば作者カミュが意図していた、「母親の葬儀で涙を流さない人間は、すべからくこの社会において死刑を宣告されるおそれがある」というテーマを読者に呈示することはできません。言いかえるならば、ムルソーの母親をあえて障害を持つ人間に設定することで、ムルソーの言動を養老院の人々に目撃させることができたとも言えます。『異邦人』における障がい者は、テーマを作品に導入するための設定としての役割が与えられていると考えることができるかもしれません。

『異邦人』―― エコクリティシズム批評

エコクリティシズム批評は、世界規模の環境保護運動の高まりを受けて生まれた理論であり、いかに作品が人間中心主義の自然観を反映しているかという点を研究しています。また、こうした研究を通して、私たちの自然観を支えている社会的イデオロギーについても探究します。近年では、逆にそうした人間中心主義の影響に反発して生まれた環境文学がどのようにエコロジー思想を表現しているのかについても論じています。エコクリティシズムの視点で作品を読解する場合には、以下のような質問を自分に問いかけてみると良いでしょう。

- 自然はどのように作品の中で描写されているか？　それは私たちの自然観をどのように反映しているか？
- 文明と自然の二項対立は作品において登場しているか？　それは作者の自然観を理解する上でどの程度有効か？
- 作品においてエコロジー思想はどの程度肯定的（もしくは批判的）に扱われているか？　それは私たちの環境に対する意識にどのような影響を及ぼすか？

太陽を神秘的に描く『異邦人』

『異邦人』において、自然と文明の二項対立に関する描写はきわめて鮮明です。ムルソーがパリのイメージを「きたない街だ。鳩と暗い中庭とが目につく。みんな白い肌をしている」というマイナスの言葉で形容している一方、太陽と海に恵まれたアルジェリアに対しては「爽快」「美しい」「明るい」といったプラスの言葉で表現しているように、作中では都会人が自然に抱く理想的なイメージが映し出されています。

しかしながら、前にも述べたように、物語が進行するに連れて太陽は次第にその脅威性を露わにしていきます。とりわけ、ムルソーがピストルの引き金を引いてアラビア人を殺害する場面では、太陽の凶暴性が以下のように一層荒々しく表現されていました。

> 光は刃にはねかえり、きらめく長い刀のように、私の額に迫った。その瞬間、眉毛にたまった汗が一度に瞼をながれ、なまぬるく厚いヴェールで瞼(まぶた)をつつんだ。涙と塩のとばりで、私の眼は見えなくなった。額に鳴る太陽のシンバルと、それから匕首(あいくち)からほと

ばしる光の刃の、相変わらず目の前にちらつく他は、何一つ感じられなかった。焼けつくような剣は私の睫毛をかみ、痛む眼をえぐった。そのとき、すべてがゆらゆらした。海は重苦しく、激しい息吹を運んで来た。空は端から端まで裂けて、火を降らすかと思われた。私の全体がこわばり、ピストルの上で手がひきつった。引き金はしなやかだった。[*25]

それまでの即物的（主観を排したリアルな表現）で淡々とした文体に代わり、比喩的表現がここで数多く登場することで、私たちは太陽の強烈な光を感じ取り、あたかも太陽がムルソーを操って、アラビア人を殺害させたかのような印象を受けます。こうした自然描写は、エコクリティシズムの立場に立った批評の対象となり得るかもしれません。実際、太陽の凶暴性を強調しているこの作品は、作者カミュの自然観を反映しているものとして考えることができます。すなわち、自然とは神秘的な存在であり、私たちの生と死を支配できるほどのエネルギーに満ちているといった、私たちがそれまで抱いていた自然のイメージとはまったく別の自然観を作品から読み取ることができます。

動物虐待とエコクリティシズム

エコクリティシズムの視点に立って、もう一度別の角度から『異邦人』をながめてみましょう。『異邦人』で唯一登場する動物は、ムルソーと同じアパートに住んでいる、サラマノ老人が飼っている老犬です。作中では、この老犬をサラマノ老人が虐待している場面が何度も描かれています。例えば、散歩の時に犬が老人を引っぱると、老人は犬を打ち、「この死に損ないめ」とののしります。老人はいつも憎悪の顔で犬を睨みつけるので、犬の方は恐怖のあまり怯えて何もできません。一般常識に照らして考えれば、これは明らかな動物虐待と見なすことができるでしょう。

しかしながら、主人公ムルソーは、この老人と犬との関係をむしろ好意のまなざしで捉えていました。実際、友人レエモンが「あれを見ていやな気がしないか」とムルソーに尋ねても、ムルソーは「しない」[*26]と答えています。ピション＝リヴィエールとバランジェは、ムルソーのこうした冷酷な態度を、彼の母親との関係に結びつけて論じています。いわく、「老人と老犬は暴力を通した共依存の関係にあり、これはムルソーと母親の関係を象徴している」というわけです。事実、サラマノ老人は老犬に暴力をふるいながらも、老犬が行方不明になると涙を流し、老犬のことを心底心配していました。ムルソーがサラマノ老人を非難しなかったのは、ムルソー自身も実は母親を愛していた一方で、彼女に暴力をふるっていたからではないか、という仮説です。

この仮説の真偽はどうあれ、エコクリティシズム批評において重要なのは、作品に登場する動物への扱いです。私たち読者は主人公ムルソーに感情移入するあまり、こうしたシーンをつい見過ごしてしまうかもしれません。しかし、ここで描かれているのは人間と自然との

＊25　同書、77ページ。
＊26　同書、36ページ。

明らかな暴力的関係であり、愛という名の下に自然への搾取を正当化しようという、エゴイスティックな自然観であると指摘することも可能であると言えるでしょう。

『異邦人』── 人文情報学批評

人文情報学では、デジタル技術を有効に活用することで、文学作品の構造やテーマをより深く理解することを目指します。私たちはデジタル技術の応用によって、作者がいかにして巧妙に作品を作り上げていったのか、時代を追うごとに作者の執筆スタイルはどのように変化していったのか、さらには作品の中でどのようなテーマが強調されているのか、などの問題に容易に取り組むことができるのです。人文情報学を用いる際には、以下のような問いを考えても良いかもしれません。

- 自分が取り組む課題に対して、デジタル技術はどのように役立つか？
- デジタル化されていない作品をデジタル化することで、どのような新しい研究が可能となるか？
- 作品の特定の言葉を数理化し、統計を取ることでどのような事実が明らかになるか？

批評家の**モーリス・バリエ**は、『異邦人』の第1部で多く登場する言葉を数え上げ、表にして分析する試みを行いました。[*27] 左ページの表はその抜粋です。

作品の内容を数理化することで得られる新たな発見

ここでバリエは、『異邦人』において「太陽」という言葉がきわめて多く使われていることに注目しました。実際、「太陽」の登場数は2番目の「空」の倍近い数にのぼっています。また、太陽のイメージと関係が深い「光」や「暑さ」といった言葉も頻繁に用いられています。こうした統計から分かるのは、作者カミュが「太陽」という言葉を意図的に数多く登場させているという事実です。カミュは巧妙に「太陽」という単語を文中に多数置くことによって、ムルソーがあたかも本当に「太陽」によって殺人を犯したと読者に印象付けようとしていたのではないでしょうか。バリエがこの論文を発表したのは1962年であり、デジタル技術がまだ十分に発達していない時代でした。したがって、恐らく彼はこの作業をすべて手作業で行わなければならなかったことでしょう。しかしながら、デジタル技術の発展によって、今日こうした分析はいとも簡単に行えるようになっています。人文情報学の活用によって、文学研究の可能性がさらに広がることは間違いありません。

*27 Maurice Georges Barrier, *L'Art du récit dans L'Étranger d'Albert Camus,* Nit, 1966, 104.

『異邦人』に登場する名詞とその登場数

名詞	登場数
太陽　Soleil	37
空　Ciel	20
水　Eau	19
海　Mer	15
目　Yeux	15
音　Bruit	12
夕方　Soir	11
光　Lumière	11
暑さ　Chaleur	8
夜　Nuit	8
習慣　Habitude	7

コラム　文学の終わり？

文学は今後、一体どのような道を辿っていくのでしょうか。文明批評家の**ハーバート・マーシャル・マクルーハン**[*28]によると、少なくとも印刷された文学作品という存在は、やがて終焉を迎えるかもしれません。彼は、メッセージの内容よりもその形式が重要であることを提起したことで一躍有名となりました。例えば愛の告白をする場合、直接会って話すこともできますし、手紙や電話、もしくはSNSで伝えることもできます。しかしながら、告白された相手にとっては、たとえメッセージの内容が同じであろうとも、直接会って言われるか、それともSNSで言われるかで、その人への印象は大きく異なることでしょう。このように、メッセージを伝える媒体、すなわちメディアは、本来ならば内容と無関係であるべきなのに、現実にはそれを受け取る相手の思考に重大な影響を与えていると言えます。これをマクルーハンは「メディアはメッセージである」という言葉で表現しました。

さらに彼は、メディアの変化に伴って社会の構造も大きく変わっていくという仮説を立てています。例えば、20世紀前半までの主要なメディアは活字でした。人々は印刷された文字を黙読することでメッセージを受けとっていたのです。その際、私たちは他の感覚を抑圧し、視覚のみに頼ってメッセージを理解しようとします。また、文字とは本質的に、世界をさまざまな言葉で切り分けるので、文字を通して私たちは外部の世界を抽象的かつ論理的に捉えるようになっているとも言えるでしょう。しかしながら、マクルーハンによれば、1960年代から新しいメディアが登場しています。映画、テレビ、パソコンなど

＊28　**ハーバート・マーシャル・マクルーハン**　カナダの文明批評家（1911～80）。当初英文学を専攻したが、のちにメディア学に転じた。メディアと人との関係を独自の視点で展開し、世界的に注目されるようになった。著書に『グーテンベルクの銀河系』『メディア論』。

の電気を使ったメディアです。こうしたニュー・メディアは、活字メディアに比べて、感覚的なイメージを重視する媒体です。この結果、活字メディアによって構成される抽象的な世界は崩れ、人々は感覚的なイメージで作られた具体的な世界に頼って生活するようになります。

マクルーハンは、将来の社会とは、読書によって確固たるアイデンティティーを持った個人が共存するようなものではなく、感覚的なイメージのフィーリングが合う者同士が集まるような村社会であると予言しました。そして、そのような社会では文字すら必要とされなくなるだろうとさえ述べています。果たして文学作品は今まで通り存在していくのでしょうか、それとも今までとはまったく違った形で存続するのでしょうか？　今生きている私たちは、将来その答えを知ることができるかもしれません。

あとがき

この本は、これから文学を学ぼうとする読者のために書かれたガイドブックであり、文学を学ぶ際に必要となる、さまざまな文献を紹介することを目的として書かれました。もちろん、この本は文学に関する唯一無二の入門書ではありませんし、私自身そのような入門書が必要であるとは考えていません。本書とはまったく違った文学の入門書もあるでしょうし、それは当然歓迎されるべき現象です。文学という学問自体、多種多様な方法で熱心に研究されてきたフィールドであり、まさにこうした特徴こそが文学の魅力であるとも言えるのではないでしょうか。

しかしながら、いわゆる入門書というのは、概して正確性や分野の広範性をいくらか犠牲にすることで、理論の単純化を図っています。本書もこうした例にたがわず、少なからず曖昧な点や欠落した部分があることは否めません。理論の明快さと精確性とのはざまで、私がどこまで折り合いをつけることに成功したかは、読者の判断に委ねたいと思います。

この場を借りて、五月書房新社の代表取締役である柴田理加子さん、編集長の大杉輝次郎さん、ならびに笠井早苗さんに深くお礼を申し上げます。分かりやすい文学の入門書を書きたいという私の願いを快く聞き入れてくださり、この度の出版にあたっては大変お世話になりました。また、執筆に際して適切なご指摘を与えてくださった渡邊英行先生、滝口浩由先生、そしてまえがきの執筆を快く引き受けてくださった郭潔敏先生に心よりお礼申し上げます。編集者の片岡力さんには、校正に関して多大なるご支援をいただきました。深く感謝申し上げます。末尾になりますが、中国留学における最大の僥倖であり、いつも献身的に私を支えてくれている妻・蘇国萍へ、あらためて感謝の言葉を捧げたいと思います。

２０２０年2月14日

小林真大

参考文献

【本文で紹介された文献以外に参考にした書籍】

Hannah Tyson and Mark Beverley (2012) IB English A Literature: Course Book Oxford University Press
Heydorn Wendy and Jesudason Susan『TOK（知の理論）を解読する—教科を超えた知識の探究—』株式会社Z会、2016年
石原千秋ほか『読むための理論』世織書房、1991年
大江健三郎『新しい文学のために』岩波書店、1988年
大橋洋一『新文学入門』岩波書店、1995年
河野龍也（編）『大学生のための文学トレーニング 近代編』三省堂、2011年
小平麻衣子『小説は、わかってくればおもしろい：文学研究の基本15講』慶應義塾大学出版会、2019年
ジャック・ラカン『二人であることの病い』宮本忠雄・関忠盛訳、講談社、2011年
助川幸逸郎『文学理論の冒険』東海大学出版会、2008年
田口雅子『国際バカロレア—世界トップ教育への切符—』松柏社、2007年
丹治愛（編）『知の教科書 批評理論』講談社、2003年
西田谷洋『文学理論』ひつじ書房、2014年
橋爪大三郎『はじめての構造主義』講談社、1988年
パメラ・タイテル『ラカンと文学批評』市村卓彦・萩本芳信訳、せりか書房、1987年
廣松渉『今こそマルクスを読み返す』講談社、1990年
前田愛『都市空間のなかの文学』筑摩書房、1992年
前田愛『文学テクスト入門』筑摩書房、1993年
丸山圭三郎『ソシュールを読む』講談社、2012年

丸山圭三郎『言葉と無意識』講談社、１９８７年
村上陽一郎『新しい科学論』講談社、１９７９年
ユーリー・ロトマン『文学理論と構造主義』磯谷孝訳、勁草書房、１９７８年
楊暁捷・小松和彦・荒木浩（編）『デジタル人文学のすすめ』勉誠出版、２０１３年

【ウェブサイト】

“Audre Lorde.” Fembio, http://www.fembio.org/biographie.php/frau/biographie/audre-lorde/.

Chandler, Daniel. “Semiotics for Beginners.” Visual-Memory, http://visual-memory.co.uk/daniel/Documents/S4B/sem05.html?LMCL=D8LB0O.

Green, Ellie. “Introduction to Literary Theory: Major Critics and Movements.” Study.com, Study.com, https://study.com/academy/lesson/introduction-to-literary-theory-major-critics-and-movements.html.

Harrington, Thea. “The Speaking Abject in Kristeva’s ‘Powers of Horror.’” Hypatia, vol. 13, no. 1, 1998, pp. 138?157. JSTOR, www.jstor.org/stable/3810610.

Heilman, Robert B. “Cleanth Brooks and ‘The Well Wrought Urn.’” The Sewanee Review, vol. 91, no. 2, 1983, pp. 322?334. JSTOR, www.jstor.org/stable/27544142.

Mambrol, Nasrullah. “Disability Studies.” Literary Theory and Criticism, 4 June 2019, https://literariness.org/2018/12/15/disability-studies-2/.

Marchand, Marc-Andre. “The Semiotic Square.” Algirdas Julien Greimas : The Semiotic Square / Signo - Applied Semiotics Theories, http://www.signosemio.com/greimas/semiotic-square.asp.

Michael Delahoyde, MichaelMichael. “Literature.” Literature, Washington State University, https://public.wsu.edu/~delahoyd/lit.html.

Nolan, Maeve, and Kathleen O'Mahony. “Freud and Feminism.” Studies: An Irish Quarterly Review, vol.76, no.302, 1987, pp. 159?168. JSTOR, www.jstor.org/stable/30090854.

"Obo." Ecocriticism -Literary and Critical Theory- Oxford Bibliographies, 20 Sept. 2019, https://www.oxfordbibliographies.com/view/document/obo-9780190221911/obo-9780190221911-0014.xml.

Purdue Writing Lab. "Introduction to Literary Theory // Purdue Writing Lab." Purdue Writing Lab, https://owl.purdue.edu/owl/subject_specific_writing/writing_in_literature/literary_theory_and_schools_of_criticism/index.html.

Proyect. "Cousin Bette." Cousin Bette, http://www.columbia.edu/~lnp3/mydocs/culture/cousin_bette.htm.

Shaw, Adrienne. "Encoding and Decoding Affordances: Stuart Hall and Interactive Media Technologies." Media, Culture & Society, vol. 39, no. 4, May 2017, pp. 592?602, doi:10.1177/0163443717692741.

Shmoop Editorial Team. "Literary Theory, Movements, and Critics." Shmoop, Shmoop University, 11. Nov. 2008, https://www.shmoop.com/literary-criticism/.

Simons, Jon, editor. From Agamben to Zizek: Contemporary Critical Theorists. Edinburgh University Press, 2010. JSTOR, www.jstor.org/stable/10.3366/j.ctt1g0b2mb.

【著者紹介】

小林真大（こばやし・まさひろ）

山形県生まれ。早稲田大学国際教養学部卒業。現在インターナショナルスクールにて国際バカロレアの文学教師を勤める。2015年にIB Diploma Japanese A: Literature Category 1 Workshop修了。2019年にIB Diploma Japanese A: Literature Category 2 Workshop修了。また、オンラインで海外の生徒への指導も行っている。著書に以下のものがある。

『詩のトリセツ』（五月書房新社）、『「感想文」から「文学批評」へ：高校・大学から始める批評入門』（小鳥遊書房）、『やさしい文学レッスン「読み」を深める20の手法』（雷鳥社）、『生き抜くためのメディア読解』（笠間書院）

ホームページ：https://www.ibjapanese.com

新装版　文学のトリセツ

「桃太郎」で文学がわかる！

本体価格……一六〇〇円

発行日……二〇二〇年三月一一日　初版第一刷発行

二〇二〇年六月　八日　初版第二刷発行

二〇二二年四月三〇日　新装版　初版第一刷発行

著者……小林真大

発行者……柴田理加子

発行所……株式会社　五月書房新社

東京都港区西新橋二－八－一七

郵便番号　一〇五－〇〇〇三

電　話　〇三（六二六八）八一六一

URL　www.gssinc.jp

装幀……今東淳雄

編集／組版……片岡　力

印刷／製本……株式会社　シナノパブリッシングプレス

ISBN: 978-4-909542-40-3 C0037

五月書房の好評既刊

詩のトリセツ

小林真大（まさひろ）著

好評『文学のトリセツ』に続くシリーズ第二弾。最もやさしく格調高い現代詩の入門書。詩とは独りよがりで難解な記号ではなく、正しい姿勢とコツさえつかめば誰にでも分析できる作品だ。こんな時代だからこそ、現代詩を読もう！

1800円＋税　四六判並製

ISBN978-4-909542-15-1 C0036

緑の牢獄　沖縄西表炭鉱に眠る台湾の記憶

黄（コウ）インイク著、黒木夏兒訳

台湾から沖縄・西表島へ渡り、以後80年以上島に住み続けた一人の老女。彼女の人生の最期を追いかけて浮かび上がる、家族の記憶と忘れ去られた炭鉱の知られざる歴史。ドキュメンタリー映画『緑の牢獄』で描き切れなかった記録の集大成。

1800円＋税　四六判並製

ISBN978-4-909542-32-8 C0021

わたしの青春、台湾

傅楡（フー・ユー）著、関根 謙・吉川龍生監訳

台湾ひまわり運動のリーダーと人気ブロガーの中国人留学生を追った金馬奨受賞ドキュメンタリー映画『私たちの青春、台湾』の監督が、台湾・香港・中国で見つけた〝私たち〟の未来への記録。台湾デジタル担当大臣オードリー・タン推薦。

1800円＋税　四六判並製

ISBN978-4-909542-30-4 C0036

女たちのラテンアメリカ　上・下

伊藤滋子著

男たちを支えて／男たちと共に／男たちに代わって、社会を守り社会と闘った中南米のムヘーレス（女たち）43人（上巻21人＋下巻22人）が織りなす歴史絵巻。ラテンアメリカは女たちの〈情熱大陸〉だ！

上巻　2300円＋税　A5判上製　ISBN978-4-909542-36-6 C0023
下巻　2500円＋税　A5判上製　ISBN978-4-909542-39-7 C0023

クリック？ クラック！

エドウィージ・ダンティカ著、山本 伸訳

小説

カリブ海を漂流する難民ボートの上で、屍体が流れゆく「虐殺の川」の岸辺で、NYのハイチ人コミュニティで……、女たちがつむぐ10個の物語。「クリック？（聞きたい？）」「クラック！（聞かせて！）」

2000円＋税　四六判上製

ISBN978-4-909542-09-0 C0097

ゼアゼア

トミー・オレンジ著、加藤有佳織訳

小説

分断された人生を編み合わせるために、全米各地からオークランドのパウワウ（儀式）に集まる都市インディアンたち。かれらに訪れる再生と祝福と悲劇の物語。アメリカ図書賞、PEN／ヘミングウェイ賞受賞作。

2300円＋税　四六判上製

ISBN978-4-909542-31-1 C0097

GOGATSU　五月書房新社（ごがつ）
〒155-0033　東京都世田谷区代田 1-22-6
☎ 03-6453-4405　FAX 03-6453-4406　www.gssinc.jp